상상, 한계를 거부하는 발칙한 도전

상상,
한계를 거부하는
발칙한 도전

임정택 지음

21세기북스

'상상에 빠진 인문학'을 펴내며

인간은 생래적으로 결핍의 존재다. 고로 인간은 영원히 욕망한다. 상상력은 욕망하는 인간의 날개가 된다. 우리는 아직 오지 않은 미지의 세계로 이제껏 보지 못한 낯선 세계로 지금껏 존재하지 않은 신비의 세계로 상상의 날갯짓을 시작한다.

'상상에 빠진 인문학'은 이러한 비상의 길잡이다. 오직 꿈과 희망만을 나침반 삼아 상상의 망망대해를 항해하는 상상하는 인간 '호모이마기난스'의 도전을 향한 격려이자 현실 너머 유토피아로의 광막한 길을 방랑하는 상상력의 노마드들을 위한 지적 안내서다.

무한 지식 시대, 무한 콘텐츠 시대에 상상력은 융합의 기술이요 네트워크 능력이다. 이에 이 시리즈는 우리 시대의 헤르메스가 되고자 한다. 고대로부터 디지털시대에 이르기까지 중심과 주변의 경계를 끊임없이 넘나들며 과거와 미래, 억압과 해방의 교차로에서 이야기, 공간, 시간, 얼굴, 이미지, 몸, 향기, 음식, 지도, 테크놀로지 등 인류가 창조해낸 문화콘텐츠 전반에서 전개되고 있는 그 모든 상상력의 대역사를 읽어내고자 한다. 이것은 곧 미래를 위한 상상적인, 너무나 상상적인 여행의 대장정이다.

차례

상상력의 시대가 온다

전 세계적으로 상상력과 창의성의 열풍이 불고 있다. 그것도 모든 분야에서 그렇다. 전통적으로 상상력으로 먹고사는 인문 예술분야는 물론이고 기업인들도 창조경영을 내세우며 미래를 준비하려고 한다. 기업은 현재의 상태를 유지하는 것만으로는 만족할 수 없다. 더욱더 빠른 속도로 진행되는 변화의 물결과 다가오는 미래가 그들을 불안하게 만들기 때문이다. 산업시대에는 제품의 효율적 기능만을 최우선시하여 대량생산하고 판매하는 데 급급했으나 오늘날에는 소비자의 심리구조와 감성, 제품의 미학적 국면까지도 생각하면서 생산하지 않을 수 없다. 또한 유통에 있어서도 소비자의 감성에 호소하기 위해 스토리마케팅을 해야 한다. 심지어 소비자의 상상력까지도 디자인할 수 있어야 한다.

그래서 기업에서는 무엇인가 새로운 것을 창안해내고 과거에는 없었던 새로운 것을 발굴해낼 수 있는 상상력을 겸비한 창의적인 인재를 필요로 한다.

오늘날 교육 시장에서도 상상력의 열풍이 감지되고 있다. 이제 대학들은 성적순으로 인재를 선발하는 것이 아니라 입학사정관제를 통해서 개인의 잠재된 창의성을 발굴하여 우수한 인재를 확보하고자 한다. 이러한 경향은 상상력을 죽이고 있는 한국의 공교육과 사교육 시장의 판도를 잘만 하면 획기적으로 바꿀 수 있을 것으로 기대된다. 이처럼 상상력은 조용한 교육 혁명의 원동력이다. 미래 사회에서는 무엇보다도 상상력이 풍부하고 창의성이 강한 인재들이 리더가 되어 세상을 이끌어나갈 것이기 때문이다.

상상력과 창의성의 열풍은 과학기술 분야에서도 거세게 일고 있다. 공과대학에서도 새로운 기술을 발명하여 특허를 내는 것을 주요 목표로 삼고 있어서 인지 창의공학 관련 교육이 활성화되고 있다. 내가 몸담고 있는 대학의 공과대학에는 '상상설계'라는 과목이 수년 전부터 개설되어 있는가 하면 창의공학연구원의 활동이 활발하다. 오랫동안 자연을 설명하는 것을 목표로 했던 자연과학 역시 상상력과 창의성을 강조하고 있다. UCLA의 나노과학자 짐제스키는 과학은 필연적으로 예술과 결합될 수밖에 없으며 따라서 창의성이 절대적으로 필요하다고 주장하고 나선다.

정부 여러 부처에서도 저마다 상상력과 창의성을 국가경쟁력의 동력으로 파악하면서 다양한 정책들을 쏟아내고 있다. 21세기에 접어들면서 디지털 통신의 인프라 구축에 막대한 예산을 투입하면서 IT강국으로 부상하고 인터넷 벤처의 열풍이 한국 사회를 강타하는 듯싶더니 어느새 우리는 상상력과 창의성을 기반으로 하는 새로운 시대, 즉 소프트 파워가 중시되는 상상력의 시대로 접어들고 있는 느낌이다.

최근 들어 한국 사회는 엄청난 속도로 빨리 움직이고 있다. 본래 오랫동안 농경사회였던 한국 사회의 근본 구조는 느림이 아니었던가. 좁은 국토의 80퍼센트가 산악지대인 한국의 문화는 자연친화적이었고 명상적이었고 성찰적이었던 것이 아니던가. '조용한 아침의 나라'가 상징적으로 말해주듯 한국은 분명 변화를 거의 감지할 수 없는 고요한 나라였다. 그러나 요란한 근대화의 소용돌이를 거치면서, 그리고 디지털 혁명의 선두주자가 되면서 한국은 시끄럽고 다이내믹한 나라로 변했다. '다이내믹 코리아'가 어느새 국가 브랜드 이미지가 된 것이다.

사실 지난 십수 년간 한국 사회는 정말 역동적으로 움직였다. 민주화운동, 노동운동, 월드컵, 붉은 악마, 촛불, 네티즌 문화 등 최근의 문화 현상만 보더라도 우리는 빠르고 역동적으로 살아왔음을 알 수 있다. 내일의 한국에서는 무슨 일이 일어날지 예측이 어려울 지경이다. 어쩌면 한국이 불확실성의 시대를 가장 확실하게 경험하고 있는지도 모른다.

예측 불허의 나라 한국. 어디로 튈지 모르는 한국 사회. 어떤 의미에서는 이것이 한국 사회를 상상하는 사회로 만들어가고 있는지도 모른다. 몰입적이고 유행성이 강한 쏠림 문화적 풍토가 21세기 한국 사회의 색깔을 만들어가면서 정치 분야에서도 예측 불허의 일들이 일어나고 있지 않았는가. 합종연횡으로 점철된 한국의 정당문화. 제대로 기억조차 할 수 없을 정도의 수많은 정당의 이름들. 수시로 변절하고 또 변절하면서 정치적 아이덴티티를 파악할 수 없는 지경인 한국의 정치문화. 이 또한 상상력의 산물이 아닌가.

전통과 현대가, 좌와 우가, 구세대와 신세대가, 남자와 여자가, 노동자와 경영자가, 남과 북이, 전라도와 경상도가, 신문과 방송이, 가진 자와 못 가진 자가 서로서로 세차게 충돌하면서 만들어내고 있는 각종 사회현상들 역시 상상력의 산물이 아닌가. 상상하는 한국 사회는 그래서 아주 재미있다.

오랜만에 내가 공부했던 독일에 가면 변화가 감지되지 않는다. 학생 때도 뉴스를 진행했던 앵커의 머리가 허옇게 세었다는 것 외에 별다른 변화를 느끼지 못한다. 독일은 그만큼 안정된 사회이기 때문이다. 그 같은 곳에서는 상상력이 더 이상 부각되지 않는다. 그저 편안하게 평화롭게 살아가면 그만인 사회에서는 더 이상 상상력을 발휘할 필요가 없는 것이다.

한국에서의 전 사회적인 상상력 열풍은 분명 우리 시대의 문명사적 현상이다. 사회의 모든 분야가 상상력으로 수렴되고 있는 듯하다. 역사상 이렇게도 상상력이 강조된 시대가 있었던가? 과거에 상상하는 인간이 주도하는 사회가 있었던가? 도대체 무엇이 우리를 상상하는 인간으로 만들고 있는 것인가? 도대체 무엇이 우리 사회를 상상하는 사회로 몰아가고 있는 것인가? 여기에 대해 문명사적 진단과 성찰이 한 번쯤 필요하지 않겠는가? 지금 한국은 상상력이 최대의 기회를 가지고 있는 나라이다.

이 책은 이러한 시대적 배경에서 쓰였다. 제1부에서는 상상하는 인간 호모 이마기난스(Homo Imaginans)의 역사적 운명을 서술하기 위해 고대부터 현대까지 철학, 문학, 예술 등에 나타난 상상력의 양태를 제시하고자 했다. 그리하여 오늘날 상상력이 네트워크, 융합과 거의 동일 개념이라는 것을 주장했다. 2부, 3부, 4부에서는 이야기, 시간, 공간을 키워드로 각각의 콘텐츠에서 나타나고 있는 상상력의 형태를 제시했다.

이 책이 독자에게 각자의 상상을 디자인할 수 있는 또 다른 상상력을 개발해나가는 계기가 되기를 바란다. 이 책을 집필하는 동안 나와 함께 상상의 날개를 펴면서 자료 발굴에 힘써준 미디어아트연구소의 모든 연구원들에게 감사드린다. 그리고 '상상에 빠진 인문학' 시리즈를 당차게 밀고 가고 있는 21세기북스 팀에게도 경의를 표한다.

2011년 3월
신촌에서 임정택

1부.
영원히 상상하는 인간,
호모이마기난스

상상력이란 무엇인가

인간의 모든 행위는 상상력 없이는 성립될 수 없다. 생존을 위해 돌도끼를 만든 것도 상상력이다. 더 빠른 계산과 정보 처리를 위해 발명한 컴퓨터도 상상력의 산물이다. 인간의 유희 충동을 충족시키기 위해 창조된 모든 예술작품 역시 상상력의 결과물이라는 것은 두말할 나위가 없다. 테크놀로지도 예술도 모두 상상력의 산물이다. 그래서 상상적인 것과 상상적이 아닌 것의 경계는 애매모호하다. 더구나 상상력은 시대와 문화에 따라 그리고 인문학, 자연과학, 예술, 경영학, 공학 등 각 분야에 따라 바뀔 수 있는 상대적인 개념이기 때문에 정의를 내리기가 쉽지 않다.

하지만 분명한 사실은 상상력은 인류 문명의 전 역사를 통해서 인간의 삶에 항상 수반된 본질적인 현상이라는 것이다. 그리고 상상력은 시대에 따라 억압되기도 하고 해방되기도 한 장구한 역사를 가지고 있다는 것이다. 어쩌면 인간은 이성적으로 생각하기에 앞서 먼저 상상을 했는지도 모른다. 그러므로 인간의 본질을 규정함에 있어서 '나는 생각한다. 고로 존재한다'보다도 '나는 상상한다. 고로 존재한다'는 명제가 더 들어맞을지도 모른다. 아니 어쩌면 이성적 사유와 상상이 서로 다른 것이 아닐지도 모른다. 왜냐하면 상상력과 이성 또는 테크놀로지는 상반된 것이 아니라 상보적 관계에 있기도 하기 때문이다.

상상력과 테크놀로지는 인류의 오랜 문명사를 통해서 주도권을 다투어 왔다. 그 둘은 분명 역사의 수레바퀴일진대, 과학기술과 이성이 지배적이었던 시대에는 테크놀로지가 앞바퀴라고 생각했고, 감성이 지배적이었던 시대에는 상상력이 앞바퀴라고 생각했다. 그러나 두 개의 바퀴가 만들어내고 있는 동력은 결국 하나의 에너지라는 사실에 주목할 필요가 있다. 인간은 다양한 욕망 충족을 위해서 먼저 상상을 했고 상상을 구현하기 위해서 기술을 발전시켜왔다는 명제를 따른다면 그것은 상상력의 우위를 주장하는 입장일 수 있다. 하지만 우리에게 중요한 것은 결코 우열의 문제가 아니라 그 둘의 관계양상이다.

머나먼 과거, 인간의 과학적 이성이 오늘날처럼 활성화되지 못했던 시대에는 상상과 그 기술적 구현의 시간 간격이 아주 길었다. 그러나 오늘날 우리는 고도로 발전된 첨단 기술 덕분에 상상이 곧바로 현실이 되는 시대에 살고 있다. 상상력과 테크놀로지의 시간 간격이 아주 짧아진 것이다. 아니 오히려 테크놀로지가 너무 빠르게 발전해 상상력을 추월하고 있는 것인지도 모른다. 소위 상상력과 테크놀로지의 불균형 시대가 된 것이다. 상상력과 테크놀로지가 불균형인 사회는 건강하지 못하다. 그래서 오늘날 우리는 환경, 윤리, 기후변화 등 많은 사회문제들에 봉착하고 있다.

우리는 더 건강한 사회, 더 건강한 인간을 위해서 '상상하는 인간' 호모 이마기난스의 복권을 원한다. 오늘날 우리가 상상력에 주목하는 이유도 여기에 있다. 그것을 위해 우리는 상상력이 무엇인지 진지하게 성찰할 필요가 있다. 그동안 우리는 상상력이란 말의 함의가 보여주고 있는 애매모호함과 추상성 때문에 상상력에 대해서 진지하게 생각해보지 않았기 때문이다.

상상력을 정의 내린다는 것은 매우 어려운 일이다. 왜냐하면 상상력은 단어 자체가 의미하고 있는 것처럼 어떤 경계나 윤곽을 명확하게 제시하고 있지 않기 때문이다. 무한한 푸른 하늘을 바라보면서 우리는 저마다 각기 다른 상상을 한다. 혹자는 저 푸른 하늘 너머에 꿈꾸던 또 다른 세계가 있을 것이라고 상상하는가 하면, 또 다른 사람은 슈퍼맨처럼 창공을 마음껏 날아다니는 상상을 하기도 한다. 상상력은 그야말로 뜬구름 잡기이다. 상상력은 일반적으로 보이지 않는 것을 생각하는 능력으로 이해된다. 그래서 상상력은 흔히 불가능한 것, 비이성적이고 비현실적인 것, 환상적이며 몽환적인 것, 그리고 때로는 아주 엉뚱하고 기이한 것과 동일시된다.

서구사회는 오랜 역사를 통해서 합리성과 이성의 문화를 추구해왔기 때문에 상상력이 설 자리를 찾지 못했다. 그렇게 된 배경은 무엇일까? 상상력을 억압한 것은 무엇보다 철학자들이었다. 세상의 이치와 사물의 본성, 존재를 진지하게 이성적으로 사유하는 것이 그들의 임무이기 때문이다.

서구사회를 2000년 이상 지배해온 이성주의와 합리주의 형성에 가장 큰 영향력을 행사한 철학자로 플라톤과 아리스토텔레스를 꼽을 수 있다. 그런데 아이러니한 것은 그들의 이성적 사유가 오늘날 생각해보면 그야말로 상상적 사유였다는 점이다. 지금부터 가장 이성적이고 관념적이었던 그들이 어떻게 사물과 존재를 가장 상상적으로 사유했는지 들여다보자.

플라톤이 목수가 제작한 책상을 보고 있다. 그는 물질로서 존재하는 책상만을 보지 않고 또 다른 책상이 있다고 상상했다. 플라톤은 그것을 책상의 이데아라고 말했다. 이데아는 책상이라는 물질의 원형이다. 책상의 이데아는 눈에 보이지 않는다. 목수는 책상을 제작하면서 책상의 원형인 이데아를 모방했던 것이다. 이렇게 플라톤은 우리의 존재를 눈에 보이는 물질의 세계와 눈에 보이지 않는 이데아의 세계로 나누어 사유했다.

그런데 문제는 눈에 보이지 않는 이데아의 세계가 더 완벽하므로 진리의 세계에 더 가깝다고 생각했다는 것이다. 우리가 흔히 상상력의 보고라고 생각하는 예술을 플라톤이 배척한 이유가 바로 여기에 있다. 예를 들어 화가가 책상을 그릴 때 그는 목수가 책상의 이데아를 모방해서 제작한 책상을 다시 모방해서 그린다. 그래서 그림은 책상의 이데아로부터 3단계나 멀리 떨어지게 된다. 플라톤은 이데아를 최상의 진리라고 생각했으므로 그는 예술의 적대자가 될 수밖에 없었다. 그리하여 플라톤은 자기가 최상의 국가라고 생각했던 철인국가에서 예술가를 추방하게 된 것이다.

플라톤이 했던 것처럼 책상을 보면서 눈에 보이지 않는 책상의 이데아를 떠올리는 것, 이것이 바로 상상력이다. 그러나 플라톤이 상상력의 철학자로 평가되지 않고 이성의 원조로 여겨지는 이유는 무엇일까? 그것은 플라톤이 이데아를 가장 완벽한 진리라고 생각하고 거기에 집착했기 때문이다. 그는 이데아를 생각하는 자체를 이성이라고 규정해버린 것이다. 어떻게 보면 상상력과 이성은 동일한 사유의 다른 이름일 뿐이다. 플라톤은 보이지 않는 이데아를 상상하는 것보다는 가장 완벽하고 이성적인 것으로서의 이데아를 더 중시했다. 그 결과 책상에서 책상의 이데아를 생각하는 능력으로서의 상상력은 이성에 종속되어 버렸다. 바로 이 지점에서 유럽 정신사에서의 상상력 억압의 역사가 시작된다.

상상력을 억압한 플라톤의 이데아를 다른 측면에서 생각해보자. 이데아는 모든 사물의 존재를 가능하게 하는 저 높은 곳에 있는 보이지 않는 그 무엇이다. 상상해보라. 만약 여러분이 플라톤의 시대에 살고 있다면, 모든 사물 너머의 진리의 존재 이유를 어떻게, 무엇을 가지고 설명했을지.

예로부터 진리는 빛에 비유되었다. 플라톤 역시 이데아를 빛, 즉 진리를 비추는 빛으로 상상했다. 그는 그 상상을 동굴의 비유를 통해 설명했다. 동굴은 빛이 없는 세계이다. 따라서 동굴은 빛이 있는 세계와 빛이 없는 세계를 나누는 아주 좋은 도구가 된다. 동굴 밖은 진리의 빛인 태양이 비추는 이데아의 세계이고, 동굴 안은 그 이데아의 빛이 비춰짐으로써 생기는 그림자의 세계이다. 동굴 안 벽면에는 온갖 그림자들이 난무한다. 인간은 그 동굴 안에 존재한다. 인간은 그림자로 비춰진 상을 통해서 이데아를 추론하거나 상상할 수 있을 뿐이다. 동굴 벽면에 맺힌 상을 보면서 인간은 동굴 밖에 존재하는 진짜 사물을 떠올리고 상상한다. 책상을 보고 그 책상의 이데아를 사유하는 것과 같은 이치이다.

플라톤적 사유, 서구 철학적 사유는 근본적으로 매우 상상적이다. 하지만 이런 상상에 따르면 인간은 매우 불행하다. 인간은 결코 원본인 진리를 보지 못하는 존재이며, 단지 모방된 상에서 볼 수밖에 없다. 다시 말해서 인간에게는 모방된 것에서 원본을 사유할 수 있는 이성이 허락되어 있을 뿐이다. 그래서 플라톤적 상상은 슬픈 상상이다.

한편 여기서 우리는 철학적 상상이 어떻게 현대의 테크놀로지를 탄생시키게 되는지를 목격한다. 동굴 밖의 빛이 동굴 안에 그림자 상을 만드는 원리는 영화의 원리와 같다. 이제 우리는 극장이라는 세계에 있다. 우리는 스크린에 비친 상을 보고 그것이 현실 속의 진짜 이미지라고 상상한다. 스크린에 비친 상과 필름의 관계는 동굴 안의 그림자와 동굴 밖 진짜 세계이다. 여기서 필름은 진리를 조명하는 세계를 상징한다. 스크린에 나타나고 있는 이미지 자체는 빛에 의해 매개된 상상의 세계이다. 문제는 진리를 조명하는 필름에 강조점을 두느냐 아니면 매개된 이미지에 강조점을 두느냐이다.

플라톤이 이미지의 세계를 불완전한 것으로 생각했기에 이미지를 보고 이데아를 생각하는 이성을 중시했다면, 아리스토텔레스는 약간 다른 입장을 보여주고 있다. 아리스토텔레스는 이데아라는 것이 현실의 세계와 분리되어 따로 존재하는 게 아니라 현실에 이미 내재해 있다고 생각한다. 그리고 현실의 이미지를 가급적 이데아의 세계에 가깝도록 재현하는 것을 중시한다. 여기에 아리스토텔레스의 모방론의 핵심이 있다.

아리스토텔레스는 예술이 현실을 모방하는 것이라고 했다. 그러나 그의 모방 개념은 현실을 그대로 복사한다는 의미가 아니라 현실에 내재한 가능한 것을 재현한다는 것이다. 그럼으로써 그는 예술의 허구적인 성격을 어느 정도 인정하고 있으며, 현실과는 다른 어떤 것을 지향하는 상상력에 약간 숨통을 터주고 있다. 그는 '가능한 것'이라는 개념을 상상력을 정당화시키는 근거로 제시한다.

아리스토텔레스는 역사와 문학의 차이를 다음과 같이 정의했다. "역사라는 것은 한 번 일어난 일을 전달하는 반면에 문학은 일어날 수 있는 가능한 것을 묘사한다." 여기에서 우리는 그가 예술적 상상력을 어느 정도 인정하고 있음을 알 수 있다.[1] 나아가 그는 관객의 카타르시스를 위해서라면 관객의 예상과 어긋나게 상상적인 사건을 서술할 수 있다고 했다. 그럼에도 아리스토텔레스는 상상력의 억압에 큰 기여를 한 장본인이다. 그의 모방론은 여전히 엉뚱한 상상력보다는 개연성 있는 진리에 더 무게를 두고 있기 때문이다.

아리스토텔레스의 유명한 《시학》은 그가 문학이라는 예술을 학습될 수 있는 것으로 파악하고, 수많은 규칙들을 집대성한 책이다. 비극의 이야기는 시작과 중간과 끝을 가진 그 자체로 완결된 것이어야 하며, 시간과 장소, 사건이 통일되어야 하며, 등장인물들은 각자의 신분에 맞는 언어를 구사해야 한다는 등 그가 제시한 수많은 규칙들은 예술적 상상력을 옭아매어 자연의 법칙에 구속시킨다. 그가 제시한 규칙대로 문학을 하면 작가가 되고 예술이 되는 것이다.

규칙에 얽매인 문학적 상상력. 이러한 아리스토텔레스적 규칙시학이 18세기까지 전 유럽의 문화와 예술을 규정짓는 대원칙으로 작용했다. 그 이성과 규칙, 개연성의 속박과 함께 상상력의 억압의 역사가 시작되고 있으며 동시에 그 속박 속에서도 서서히 꿈틀거리기 시작한 상상력의 해방의 역사가 전개되는 것이다.

상상력의 극단적 결과물, 플라톤의 이상국가

상상력이 억압의 역사를 걷게 만든 장본인 플라톤. 그 자신은 상상을 하지 않은 것일까? 널리 알려진 그의 이성적 이데아에 대한 집착은 분명 상상력에 여지를 두지 않는 듯하지만, 정작 그가 제시한 '이상국가'가 고도의 상상력의 산물이라는 것은 아이러니하고도 매우 흥미로운 사실이다. 오늘날의 시각에서 플라톤의 글을 읽다 보면, 오히려 그가 제시한 이상국가는 고도로 상상적인, 현대판 디스토피아(distopia)적 SF와도 같은 '상상국가'로 다가온다. 어쩌면 플라톤의 이상국가야말로 조지 오웰, 올더스 헉슬리, 예프게니 자먀틴 같은 20세기 디스토피아 작가들의 선구적 모델이라는 생각이 든다.

플라톤의 이상국가는 인간의 불평등을 전제로 한 철저한 계급사회라는 점에서 최악의 국가이다. 그곳에서 인간은 원래부터 소질과 능력이 다르게 태어났으므로 일생 동안 불평등하게 살아야 한다. 철학자, 전사, 농부와 수공업자 세 계급으로 나뉜 이상국가. 철학자는 오로지 통치만 하고, 전사는 국가의 안전을 유지하는 일에만 전념하며, 농부와 수공업자는 민중으로서 생산만을 전담한다. 구두장이는 일생 동안 구두만 만들고 대장장이는 금속만 가공하며 농부는 농사만 지으면 된다. 플라톤은 철저한 전문화와 계급화를 통해서 사회 정의가 실현된다고 생각한다. 도대체 이러한 나라가 있을 수 있는 것일까? 있어서도 안 되고 있을 수도 없다.

국민의 운명이 국가에 의해 우생학적으로 미리 결정되고 국가가 인간의 생식마저 통제해야 한다는 대목에서 플라톤의 상상력은 극에 달한다. 국가의 최고 목표는 가장 품질 좋은 자손의 증식이다. 국가는 출생 이전부터 시민에게 부모를 선발해준다. 품질 좋은 인간을 만들기 위해서 가능한 한 최고의 남자들이 최고의 여자들과 자주 동침해야 한다고 주장한다. 그리고 가장 나쁜 남자와 가장 나쁜 여자들은 동침도 하지 말아야 하며 그들의 자식들은 교육시킬 필요도 없다고 한다.

플라톤에게 남자와 여자는 오로지 능력 있는 국민을 만들기 위한 도구였으며, 쾌락 따위에는 관심조차 없었다. 남녀 사이에 감정은 금물이며, 모든 결혼과 결합은 오로지 종족의 개량과 강한 국가를 건설한다는 목적에 좌우되는 것이었다.

잘생긴 사람들이 가장 좋은 사람들이고 육체적으로 결점이 있는 사람은 가장 나쁜 사람이다. 이러한 선별 원칙을 플라톤은 인공 동물사육에 비유하고 있다. 생식이 국가에 의해 주재되고 감독되는 나라. 정해진 나이가 아닌 때에 아이를 낳으면 낙태나 유아 살해 등으로 대처하는 나라. 하지만 그리스 최대의 철학자요 가장 위대한 이상주의자 중의 한 사람이 자신의 이상을 저하시킬 동물적 행위를 허용한다는 것은 커다란 모순으로 다가온다.

플라톤의 이상국가는 사유재산을 완전 철폐하고 인간의 모든 사적인 감정마저 말살한다는 점에서도 가히 상상적이다. 사유재산은 모든 사회적 악의 근원으로 간주된다. 자신을 위해서 무엇인가를 소유하고자 할 때 시기와 증오, 절도와 강도가 나타나기 때문이다. 모든 인간관계, 심지어 결혼조차 국가가 통제한다. 국가는 난혼제도를 통한 하나의 대가족이다. 무조건적인 복종과 종속을 가능하게 하기 위해 가족들 간의 어떤 친밀한

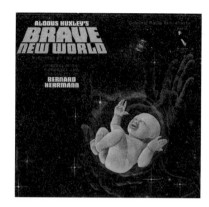

그림 1 생식을 통제하는 플라톤의 이상국가는 미래의 디스토피아를 연상시킨다.

관계도 허용되지 않는다. 공적 통제를 벗어날 수 있는 모든 사적 관계는 금기시된다. 아이들과 부인들은 모두 공동 소유로 선포되고, 결혼도 의미를 잃는다. 여자들은 모두 남자들의 공동 소유물이며, 어느 특정 여자도 어떤 특정 남자와 동침하지 않으며 아이들도 공동 소유이다. 그래서 어떤 아버지도 자기 아이를 모르고 아이 또한 자기 아버지를 모른다. 오직 자신의 육체와 분리될 수 없는 것만을 자신의 것이라 할 수 있을 뿐이다.

플라톤의 이상국가에서는 웃어서도 울어서도 안 된다. 격렬한 감정의 분출은 공동체를 잊게 하고 개인의 운명을 성찰하게 만들며, 웃음은 권력자들에 대한 반항을 야기하기 때문이다. 예술의 내용은 오직 용감, 신중, 현명, 정의라는 덕목의 주입만을 목적으로 하며, 오로지 국가가 지정하는 선전을 위한 목적 예술이어야 한다. 개인적인 오락 또한 없다. 축제나 경주가 국가적으로 조직되며 종교적인 축제가 매일 개최된다. 축제를 통해서 국가 이념을 주입하고 전투 시합을 통해서 국가의 주요 미덕 중 하나인 용감성을 자극한다. 오직 모든 것이 국가를 위해 존재하고 체제를 위해 지속된다.

모든 변화와 진화가 중지된 플라톤의 이상국가는 전체주의 국가이며 분명 미래의 디스토피아이다. 이 점에서 그의 이상국가는 상상국가이다. 플라톤 스스로 이 점을 고백하고 있는 것은 놀라운 사실이 아니다.

"그것(이상국가)은 우리의 추론에만 존재한다. 그것은 지상의 어느 곳에도 없기 때문이다. 이상국가는 단지 하늘에 그 모델이 있을 것이다."

그의 이상국가론은 어디까지나 사고의 유희, 상상의 유희였던 것이다. 그렇다면 이성적 이데아에 집착했던 플라톤이 왜 이러한 극단적인 상상을 한 것일까? 그의 상상국가에는 사고의 유희를 넘어 그의 시대에 대한 깊은 통찰이 근저에 깔려 있다. 기원전 427년 아테네에서 태어난 플라톤은 역사의 슬픈 시대를 목도한다.

페리클레스의 지배하에 권력과 문화의 황금시대를 누리고 있었던 아테네는 기원전 431년부터 기원전 404년까지 지속된 아테네와 스파르타 간 전쟁에서 패배한다. 전쟁에 대한 공포는 감수성이 강한 플라톤에게 생생한 인상을 남겼다. 이후 30인 정부가 구성되자 그는 기뻐했으나, 그들의 반역적 폭제는 그를 과두정치로부터 거리를 두게 했다. 그는 압제적이고 부패한 폭군들의 통치에 빠진 조국의 비참한 상태를 개탄하며, 이러한 상태를 개선해야 한다는 염원에서 악과 타락의 원인을 연구한다. 이러한 시대 경험을 통해 그는 완전한 정의가 실현되는 철학자의 나라, 이상국가를 상상한 것이다.

그의 이상국가론이 스파르타의 국가지상주의적 정치체제를 모델로 삼고 있는 것은 당연한 일이다. 플라톤은 질서에 대한 집착으로부터 그러한 이상국가를 아니 상상국가를 꿈꾸었다. 그의 상상은 어디까지나 현실에 뿌리박고 있었던 것이다. 그렇다면 상상은 결국 현실을 떠날 수 없다는 말이 아닌가. 다시 말해서 모든 상상은 곧 현실의 다른 모습이 아니겠는가.

가장 완벽한 이성적 진리인 이데아에 집착했던 플라톤은 가장 비이성적인 이상국가를 상상했다. 이 지점에서 우리는 상상력의 역사에서 아주 중요한 인식을 얻게 된다. 어쩌면 이성과 상상이 또는 현실과 상상이 그리 먼 관계가 아니라는 사실 말이다. 그 둘은 서구 문화와 예술에서 오랫동안 각축전을 벌여온 역사를 가지고 있다. 그러나 또 한편으로는 그 둘은 상호 보완적 관계를 가지고 있기도 했다. 그것들은 서로를 배타하면서도 함께 존재할 수밖에 없는 운명을 가지고 있었다. 어쩌면 그 둘은 동전의 양면일 수 있다.

　그래서 이성의 역사에서 상상력의 역사를, 카오스에서 질서를, 억압의 문화 속에서 꿈틀거렸던 상상력의 자유를 읽어내는 작업이야말로 상상하는 인간의 본질을 조명하는 작업인 것이다.

연금술사, 상상력의 천재들

억압으로부터 나온 상상력

정신분석학의 창시자 프로이트는 억압된 욕망은 언제나 되돌아온다고 말했다. 꿈은 현실에서 억압된 욕망이, 정신의 검열관인 초자아가 휴식을 취하는 수면 상태에서 의식으로 되돌아오는 현상이다. 이때 꿈은 약하지만 여전히 작용하고 있는 초자아를 속이기 위해 이미지를 변형하는 작업을 거친다. 꿈속에서는 우리의 욕망이 일상에서 경험했던 다양한 사물들로 응축되고 전치되어 나타나기 때문에 검열자는 그것이 사실은 금지된 욕망에 대한 은유임을 눈치채지 못한다.

프로이트가 말한 꿈작업이란 억압을 피하기 위해 관념들을 뒤섞는 정신의 작용이다. 따라서 우리는 "꿈은 무의식의 네트워크 상상력이다!"라고 정의할 수 있을 것이다.

이러한 정의를 통해 우리는 상상력이 왜 필요하며, 공상이 왜 인류사에서 반복되는지에 대한 해답을 얻을 수 있다. 그것은 우리가 현실에서 항상 불만족 상태에 처해 있기 때문에 반복된다. 인간은 관습에 의해 항상 금지된 것들로 둘러싸인 환경에서 살아간다. 인간은 그 금지를 뚫고나와 욕망하는 것을 이루기 위해 상상하는 게 아닐까? 따라서 억압된 것이 되돌아온다는 프로이트의 말은 상상력이 억압을 해방하기 위해 항상 재등장한다는 말로 번역될 수 있을 것 같다.

실제로 상상력에 억압적 제한을 설정했던 플라톤 이래 서양의 상상력 역사란 끊임없는 억압과 해방의 역사였다. 상상력이 아무리 억압된 시대라 하더라도 어떠한 형태로든 상상력은 표출될 수밖에 없었던 것이다. 인간은 상상하는 존재이므로 상상하지 않고는 살아남을 수 없기 때문이다. 그러므로 상상력의 양태는, 상상하는 인간 호모이마기난스가 각 시대마다 각기 다르게 표출되므로 각 시대정신에 의해 규정되게 마련이다. 사실 문화사와 예술사는 이러한 상상력의 양태를 추적하는 작업 외의 다른 것이 아니다.

　서양의 중세는 플라톤의 이데아 자리에 신이 들어선 문명이라고 할 수 있다. 모든 것이 신에게 귀결되었던 신 중심의 문화가 지배한 중세 시대에 상상력은 어떠한 형태로 나타났을까? 중세는 서양 문화사에서 '암흑기'로 묘사된다. 중세는 그 어느 때보다도 인간의 상상력이 억압받는 시대였으며 재미와 유머가 극도로 제한된 시기였다. 중세의 수도원은 절대적 금욕의 공간이었다. 파리의 문화국 건물이 그 옛날 수도원 부속건물로서 매춘의 공간이었다는 사실이 생각난다. 금욕의 공간에서 매춘의 역사가 있었다는 기억은 우리의 역사적 상상력을 자극한다. 플라톤의 이상국가가 개인의 자유를 소위 정의로운 국가에 옮아매었듯이, 중세 교회는 개인을 철저하게 신에게 종속시켰다.

　신의 공간, 억압의 공간, 금욕의 공간인 수도원을 움베르토 에코의 《장미의 이름》은 억압된 상상력의 공간으로 상상한다. 수도원에서 벌어지는 연쇄살인사건. 수도승들은 무엇 때문에 죽어가는가? 무엇이 수도승들을 죽음으로 몰아대는가? 그 옛날 아리스토텔레스가 썼다고 전해지지만 우리 인류에게 전해지지 않는 책 한 권. 살인 사건의 현장인 수도원의 도서관에 금서로 전해지는 책 한 권. 아리스토텔레스의 《시학》 제2권 《희

극론》이 바로 그것이다.

　움베르토 에코는 그 책에 "신에 대해서도 웃을 수 있다"라고 적혀 있음을 상상했다. 신에 대해서 결코 웃어서는 안 되는 수도승들은 금서를 읽으며 신에 대해 웃으면서 책장에 발린 독약 때문에 죽어갔다. 그들은 신에 대해서도 웃을 수 있다는 상상력에 중독된 것이다. 억압이 강한 시대일수록 그만큼 상상력 또한 강력하다.

　중세 교회는 종교적 엄숙주의의 잣대로 거의 모든 예술 분야를 억압했다. 그중에서 특히 피해를 본 것은 극예술과 조형예술 분야였다. 중세 교회는 철저히 우상 숭배를 배격하여 조형예술을 금기시했던 것이다. 《구약성서》의 〈이사야서〉에 "그분은 아무런 형태도 미모도 갖추지 않으셨다"라는 말은 조형예술을 배격하는 근거가 되었으며 모든 육체적 미를 부인하는 것으로 해석되었다.[2] 그리고 극예술은 이교도의 신화, 즉 그리스 신화를 다루고 있기 때문에 폐기되어야 했다. 따라서 그리스 로마의 융성했던 조형예술과 극예술은 르네상스가 오기까지 사장되었다.

　하지만 제아무리 엄숙한 중세 교회가 인간의 상상력을 억압했다 한들 막을 수는 없었다. 중세는 종교적 신비주의에 힘입어 인간의 인문학적, 과학적 상상력이 제 나름대로 꽃피웠던 시대였다. 사실 신성 논쟁을 떠나서 생각해보면 종교야말로 인간이 지닌 상상력의 힘을 보여주는 것이 아닐까? 중세 기독교는 도구적 이성주의가 나타나기 이전, 상상의 힘 '스토리텔링'과 신비주의로 세계를 규정하는 상상력의 요체였다고 할 수 있다.

이 질 적 인 것 의 네 트 워 크

이렇게 억압적이고 종교적 엄숙주의가 만연했던 중세에 연금술은 인간의 상상력이 꽃피웠던 분야이다. 연금술은 값싼 금속을 금으로 만드는 데 필요한 촉매제이며, 또한 불로장생의 영약이기도 한 '현자의 돌(Philosopher's Stone)'이라는 '상상적' 물질을 찾아 떠난 인간의 길고 긴 상상력의 여정이었다. 연금술은 과학자, 신학자, 철학자들의 상상력을 자극했으며 전 세계적으로 퍼져나갔다.

연금술은 원래 이집트에서 시작되었다고 알려져 있으며 페르시아를 거쳐 이슬람 문화권에서 유행되다가 다시 중세 유럽에 전파되어 활성화되었다. 또한 동양에서도 연금술이 행해졌다. 중국에서는 현자의 돌과 결합된 연금약액(鍊金藥液, elixir)이라는 액체가 인간의 불로장생을 가져다준다고 상상했으며, 인도에서는 요가나 단식 등을 통해 인간의 몸속에서 연금술로 불로장생의 길을 찾을 수 있다고 생각했다. 아랍에서는 연금술이 제약학이나 의학에까지 확장되기도 했다.

서양의 연금술사들은 오로지 상상력에 의거하여 여러 물질들을 배합하고 분리하며 수많은 시행착오를 겪었고 그 과정에서 질산, 염산, 황산 등 수많은 화학적 발견을 해냄으로써 과학 발전에 이바지했다. 과학사에서 중세 연금술 없이 근대 화학과 의학이 성립할 수 없다고 하는 것은 너무나 자명한 얘기이다. 연금술은 중세의 종교적 신비주의와 이상주의에 근거하고 있다.

연금술의 목표는 비금속 물질을 금, 은과 같은 값진 금속으로 바꾸는 것이다. 이것은 단순히 금전적인 이익을 떠나서 완전함을 추구하는 종교적 수행과도 비슷한 것이었다. 금은 금속들 중에서도 부식하지 않으며 안정적인 속성을 가지고 있다. 연금술사들은 기본적으로 신이 만든 자연이 완전하다고 믿었으며 모든 금속들 중에서 금이야말로 가장 완전하다고 믿었기 때문에 불완전한 물질로 금을 만들려고 열망했던 것이다.

여기에 기독교적 신비주의인 '그노시즘(gnosticism, 영지주의)'이 합세했다. 그노시즘은 육체에 갇혀 있는 영(靈)을 해방시켜 절대적인 신의 세계로 돌아가려는 믿음을 갖고 있었으며, 중국의 외단법 같은 실천적인 방법을 통해 이러한 믿음을 이행했다. 이미 존재 그 자체에서부터 상상력이 농후한 종교적 신비주의는 다소 황당하고도 재미있는 수많은 연금술 연구를 양산했다.

연금술의 과학사적 업적 가운데 하나는 수은에 관한 연구이다. 연금술사들은 수은을 집요하게 연구했는데 이는 수은이 영과 육의 합일을 드러내는 물질이라고 믿었기 때문이다. 수은은 상온에서 액체 상태를 유지하는 유일한 금속으로 영과 육의 합일이라는 믿음을 투사하기에 안성맞춤인 물질이었으며, 연금술사들은 상상력을 동원하여 여러 가지 방법으로 실험하면서 수많은 과학적 성과를 거두었다. 무기산과 알코올의 발견은 바로 이런 연금술적 상상력의 유산이었다. 연금술의 핵심적인 이론은 모든 금속이 황과 수은으로 만들어졌다는 '황-수은 이론(sulfur-mercury theory)'인데, 이 이론 또한 다분히 시적이며 상상적이다.

연금술은 기본적으로 아리스토텔레스의 4원소설에 이론적인 근거를 두

그림 2 마이클 마이어의 연금술 논문의 이미지, 1618.

고 있는데, 아리스토텔레스는 4원
소, 즉 물, 불, 흙, 공기가 이들의 기
본적인 성질인 뜨거움, 차가움, 축

축함과 메마름의 구성에 지나지 않으며 이것들의 배합을 달리하여 전혀
다른 물질을 만들 수 있다고 생각했다. 불과 물은 4원소 중에서도 가장 중
요한 원소들이다. 연금술사들은 황이 불의 속성을 가지고 있고 수은이 물
의 성질을 가지고 있다고 보고 이것의 배합을 통해 금을 포함한 모든 금속
을 만들 수 있다고 믿었다.

이런 합일이 불가능해 보이는 정반대의 것들, 물과 불, 여성과 남성 같
은 것들을 합치면서 완전한 물질이 나온다는 게 연금술적 신비주의의 핵
심이었다. 그리고 이것을 구체적으로 이행하기 위해 풍부한 상상력이 동
원되었던 것이다.

연금술의 흥미진진한 상상력을 드러내주는 예가 '제2의 아담'을 창조
하기 위한 연금술사들의 분투이다. 연금술사들은 수은으로 완전한 인간
을 창조할 수 있다고 확신했다. 그리하여 수은을 비롯한 여러 물질들을 동
원하여 인간을 창조하기 위해 노력했다. 물질로부터 사람을 만든다는 생
각, 돌 같은 물질이 인간처럼 성장한다는 생각은 고대 신화에도 자주 등장
하는 모티프이다. 고대 그리스어에서 돌과 사람이 원래 같은 뜻이었다는
사실은 이를 시사해주고 있다. 제우스는 선한 데우칼리온 부부에게 방주
를 만들어 피하라 한 뒤 혼탁한 인간들을 홍수로 쓸어버렸다. 데우칼리온
부부는 황폐해진 대지를 보고 슬퍼하며 신을 찾아가 세상에 다시 만물이

성장할 수 있도록 기도했다. 이에 감동한 여신은 "그대들 어머니의 뼈를 뒤쪽으로 던질지어다"라는 수수께끼 같은 신탁을 내렸다. 두 사람은 오랜 궁리 끝에 '땅의 뼈는 돌이다'라는 결론을 내리고 어깨 뒤로 돌을 던졌다. 데우칼리온이 던진 돌은 남자가 되었고 아내 피라가 던진 돌은 여자가 되어 대지는 다시 사람들로 가득 찼다.

연금술사들은 금속이나 광물을 인간과 마찬가지로 영혼과 감정을 가진 생명체로 보았다. 그들은 모든 금속의 부모인 유황과 수은이 결혼하면 '현자의 돌'이란 자식이 탄생된다고 믿었다.

하 이 테 크 와   연 금 술

코넬리우스 아그리파라는 연금술사는 식물의 뿌리에서 인간이 자라날 수 있다고 믿었으며, 필리푸스 파라셀수스는 '호문쿨루스'라는 인조인간을 만들기 위한 비법서를 작성했다. 그는 사람의 정액을 병에 넣고 40일 동안 말똥거름에 묻어 두면 정액이 자력을 띠게 되는데, 이것을 암말의 자궁과 같은 상태에서 40주 동안 사람의 피를 공급하여 키우면 인조인간이 된다고 주장했다.

만약 정액과 난자가 수정하여 인간이 탄생한다는 개념만 갖고 있었으면 현대 과학의 인공수정 내지는 시험관 아기를 연상케 하는 제법 그럴싸한 이론이 됐을 수도 있을 것이다. 이렇게 환상적인 요소를 다분히 내포하고 있는 연금술은 과학과는 별개로 '유사과학'이라는 하위적인 명칭을 갖게 되었다. 그럼에도 불구하고 무모하고 비상식적인 연금술사들의 상상

연금술이 디지털 상상력과
연관될 수 있는 배경은 무엇일까?

력이 도구적 이성주의의 결산물이라 할 수 있는 과학의 지대한 밑거름이 되었다는 것은, 결국 상상력이 인간이 발휘할 수 있는 최대의 능력이며 이성에 앞선다는 것을 의미한다.

그렇다면 오늘날과 같은 과학 지상주의, 도구적 이성주의가 정점에 이른 하이테크놀로지 시대에 왜 연금술이 자주 언급되고 있는 것일까? 그것은 연금술적 상상력은 오늘날에도 유효하기 때문이라고 생각된다. 중세에 연금술의 하위문화로서 생겨났던 것이 마법사, 마녀에 대한 믿음에서 비롯된 유럽의 민담과 신화였다.

마법사의 이야기를 다룬 '해리포터' 시리즈가 하이테크놀로지 시대에 엄청난 붐을 일으킨 것은 흥미로운 현상이다. 하늘을 나는 빗자루, 순간 이동, 개구리 변신 약, 보이지 않게 하는 망토 등 연금술의 상상력을 현대 사회에 그대로 투사한 해리포터 시리즈는 오늘날의 과학보다 앞서 나간 유토피아적 환상의 세계를 그리며 독자들을 매료했다.

오늘날 유전과학이나 복제인간에 대한 연구도 일찍이 연금술사들이 먼저 이행했던 것이 아닌가? 다만 다른 점이 있다면 오늘날의 연구가 고도로 발달된 바이오테크놀로지를 근간으로 하고 있는 것에 반해 연금술사들은 그런 것 없이 오직 상상력만으로 했다는 것이다.

사실 인류 역사상 이성은 상상을 좇기에 급급했다. 오늘날 절대적이라고 숭배되는 과학적 발견들은 사실 아무런 과학적 토대도 없던, 말도 안 된다고 여겨졌던 인간의 상상에 근원을 두고 있기 때문이다. 많은 사람들이 '말도 안 돼!'라고 생각하고 있는 현자의 돌의 존재 여부에 대해서조차

그림 3 레메디오스 바로, **태양의 음악**, 1955.

오늘날 논란이 되고 있다. 결국 그 누구도 현자의 돌을 찾지 못했다. 그래서 당시 정신적인 황금, 즉 영적인 완성을 추구하는 영적 연금술이 유행하기도 했다.

현자의 돌이 우리에게 남긴 것은, 없는 것을 창조하려는 인간의 무한한 상상력이다. 이렇게 중세 연금술사들의 기발한 상상력이 이후의 근현대 예술에까지 파급을 미치고 있다는 것은 놀라운 일이 아니다.

나치 점령하의 암담한 현실을 예술적으로 승화시키고 있는 스페인의 초현실주의 화가 레메디오스 바로의 그림에는 바로 연금술적 상상력이 토대가 되고 있다. 그녀의 그림 〈태양의 음악〉에는 빛, 소리, 변형, 예술, 테크놀로지 등의 요소들이 망라되어 있다. 예술가는 대지와 합일되어 있으며 한 줄기 태양은 마치 현악기 줄처럼 보인다. 사람이 그것을 켜고 있으면 새들이 창조되어 날아간다. 참담한 현실을 단순히 반영하는 것에 그치지 않고 더 좋은 현실로 변형시키려는 연금술적 상상력이 바로의 예술을 규정하고 있다.

비과학이면서도 과학이기도 한 연금술의 근본정신은 서로 다른 이질적인 것들을 결합하여 새로운 것을 창조한다는 것이다. 거기에는 불로장생과 비금속을 변형시켜 금을 만들려는 인간의 완성에 대한 욕망의 극치가 드러나고 있다. 금은 모든 광석 중에서도 가장 완전하고 가장 고귀한 것으로서 완성을 상징한다. 또한 연금술은 단순히 이론적 사유가 아니라 상상력을 직접 실현하려는 시도였다는 점에서 많은 것을 시사하고 있다.

　이러한 연금술의 기본 생각이 오늘날 디지털 시대의 새로운 상상력의 개념과 상통하고 있다는 사실을 주목할 필요가 있다. 없는 것을 있는 것으로 만드는 컴퓨터적 지각방식은 현자의 돌을 찾으러 떠난 연금술사들의 상상 여행에 비견될 수 있다. 또한 컴퓨터를 기반으로 한 디지털 문명의 가장 큰 특징을 네트워크와 무한한 변형 가능성이라고 할 때, 전혀 다른 이질적인 것을 네트워크시켜서 금속으로부터 금을 만들고자 했던 중세의 연금술사들은 디지털 상상력의 천재들이었다. 더구나 디지털은 인간의 상상력을 바로 구현해주는 마술적 도구라는 점을 생각할 때 21세기의 연금술이라고 할 수 있다. 미디어를 통한 전 세계적 네트워크는 전혀 다른 이질적인 것들을 조합시키고 연결시키는 새로운 상상력을 요구하고 있으며, 상상력은 이제 창조라기보다는 조합의 능력으로 이해되고 있다.

바로크, 육체와 감각을 해방시키다

성 테레사의 엑스터시

중세 시대에는 복음서의 표지에 복음서 저자의 모습을 그려 넣는 관습이 있었다. 다음 그림은 하느님으로부터 영감을 받아 복음서를 쓰고 있는 성 마태오의 모습이다.

중세의 화가는 이 성자의 신체를 왜 뒤틀린 형상으로 묘사했을까? 성자의 뒤에 보이는 풍경은 왜 지상낙원의 모습이 아닐까? 우리는 서양 중세의 그림들에서 인체를 의도적으로 왜곡하는 경향을 발견할 수 있다. 서양 중세는 모든 물질적이고 육체적인 것들이 불완전하고 세속적이며, 심지어 악마적인 것으로 폄하되던 시대였다. 중세에 있어 육체적인 것이란 그것의 불완전함을 통해 영적인 것을 드러낼 때에만 긍정적인 의미를 가질 수 있었다.

이 그림 역시 세속적인 육체의 왜곡을 통해 영적인 것의 초월적인 성격을 드러내려는 의도를 가지고 있다. 중세 회화에 있어서 상상력이란 더 높은 존재를 향한 고양을 위한 것이었다는 점에서 억압적이라 하겠다. 따라서 중세는 어두운 상상력이 지배하는 세상이었다.

하지만 중세는, 상상력이 부정적인 의미로라도 중요한 기능을 했

그림 4 《마태오의 복음서》 표지 그림, 약 830년경.

그림 5 지안 베르니니, **성녀 테레사의 법열**, 1646.

다는 점에서 종교개혁 시대보다 긍정적인 시대였다. 16세기 루터에 의해 시작된 종교개혁은 어떤 의도로 만들어진 것인지를 불문하고 모든 우상에 대해 엄격한 비판을 가했다. 종교개혁은 중세를 거쳐 르네상스가 새롭게 계승한 종교적 상상력을 거부했으며 모든 종교적 예술품들을 교회에서 몰아내고 억압했다.

그러나 억압된 것은 되돌아온다고 하지 않던가? 아이러니하게도 르네상스의 상상력에 대한 억압은 반종교개혁이라는 새로운 흐름을 탄생시켰으며, 그 흐름을 통해 서양의 근대미술은 가장 숭고하고 긍정적인 상상력의 꽃을 피우게 된다. 그것이 바로 바로크 미술이다.

위 조각상은 바로크 시대 지안 베르니니에 의해 완성된, 산타 마리아 델라 비토리아 성당의 〈성녀 테레사의 법열〉이다. 이 조각은 중세 미술에서 부정적이고 세속적이며 억압되어 마땅한 것의 상징으로 드러났던 인간의 육체를 종교적 완성의 상징으로 내세우고 있는 듯하다. 하늘에서 내려오는 성령을 상징하는 햇빛은 비처럼 하강하는 작은 원주들로 묘사되고 있으며, 그것이 성 테레사의 영혼에 작용하고 있음은 엑스터시에 빠진 그녀의 표정으로 표현된다.

이 작품의 육체에 대한 사실적인 묘사는 햇빛을 마치 하늘로부터 떨어지는 정액으로, 성 테레사의 표정을 성적인 황홀경으로 느껴지게 만들기도 한다. 바로크 미술에 있어 인간의 육체는 더 이상 억압되어야 하는 것이 아니었고, 인간의 상상력은 종교적인 체험을 긍정적으로 표현할 수 있는 수단으로 인정되었던 것이다. 바로크 미술의 이러한 경향은 '예수의 육화(肉化)' 사건에 대한 긍정적인 해석을 토대로 한 것이었다.

가톨릭교회는 종교개혁에 대항하기 위해 정신적인 것과 육체적인 것을 결합시킨 존재로 예수의 정체성을 강조했고, 그러한 종교관은 바로크 예술의 형성에 많은 영향을 미쳤다. 바로크 시대의 사람들은 중세 시대의 수도승들이 몰랐던 귀중한 사실을 발견해낸 것이다. 독생자 예수가 하늘과 땅을 네트워킹함으로써 영혼과 투쟁하던 육체의 죄가 모두 사함을 받았다는 사실 말이다.

바로크 미술은 서양사의 천 년을 지배했던 육체에 대한 억압에 대항하여 상상력이 이룩한 위대한 승리였다. 하지만 바로크가 이룩한 예술적 성취에 빠져 중세 미술의 가치를 깎아내려서는 안 된다. 앞에서 말했듯이 상상력은 억압을 뚫고 해방으로 나아가기 위한 능력이다. 중세의 억압이 없었다면 바로크도 없었을 것이다. 억압은 때때로 상상력을 발전시키는 원동력이 되기도 하기 때문이다.

21세기를 살아가는 우리의 눈에 〈성녀 테레사의 법열〉과 〈마태오의 복음서〉의 표지 그림 중 어떤 것이 더 상상적으로 보이는가? 두 작품에 대한 비교는 억압이 예술적 상상력에 있어 창조적인 힘의 근원이 될 수 있음을 보여주는 좋은 예가 아닌가?

신의 집에서 인간의 집으로

육체적이고 감각적인 표현을 긍정적인 것으로 파악하는 바로크 예술의 특징은 바로크 건축에서 더욱 두드러지게 나타났다. 서양의 미학사에서 건축은 그것 자체가 아름다움이라는 목적을 추구하는 것이 아니라, 신을 모시거나 인간이 살게 한다는 목적을 위한 도구로 만들어졌다는 점에서 순수예술에 포함되지 못하는 것이었다. 따라서 헤겔은 그러한 건축 자체의 목적에 가장 충실한 전범으로 고대 그리스의 신전을 들고 있다.

그리스의 신전은 신의 거주라는 실용적인 목적에 가장 걸맞은 장방형의 기하학적인 구조를 띠고 있다. 헤겔은 이러한 그리스의 건축이 미가 아닌 실용성이라는 건축 자체의 목적에 완전히 부합하고 있다고 보았기에 신전을 건축의 고전적인 완성으로 보았다.

반면 헤겔에게 있어 고딕 교회와 같은 중세의 건축들은 낭만적인 양식을 따르는 것이었다. 그가 보기에 중세의 교회 건물들은 도구적인 목적이라는 건축 본연의 목적을 벗어나 정신적이고 숭고한, 즉 '미'라는 가치를 표방하고 있는 것이었기 때문이다. 따라서 고딕 건축들은 형식면에서 그리스의 신전과 같은 완성도와 안정감을 갖지 못하지만 그것보다 더 높은 가치를 추구한다는 점에서 더 차원 높은 예술이다.

헤겔은 그리스의 신전과는 달리 사방을 벽으로 가로막는 고딕 건축의 폐쇄성이, 물질적인 자연세계로부터 분리되는 정신의 주관성을 표상한다고 보았으며, 하늘로 솟구치는 첨탑의 형상이 고양되는 정신을 형상화한 것이라고 보았다. 헤겔 미학에 있어 고딕 건축의 독특한 양식은, 기계적이고 도구적인 이성이 아름다움이라는 가치를 향해 비약하는 순간에 대한 상징이었다. 고딕 건축에 이르러 실용성의 목적에 구속되지 않는 건축적 상상력이 나타나게 된 것이다.

　하지만 물질을 오직 정신의 완성을 위한 계기로만 인식한 헤겔의 미학은 정신의 고양의 표현을 위한 물질적인 설계라는 측면에서 건축의 역사를 다루었기 때문에, 고딕 건축 이후 등장한 바로크 건축의 특징에 대해서 별다른 언급을 하지 않았다. 이는 그의 건축미학이 앞에서 언급했던 중세 회화의 단계에 머물러 있음을 보여준다.

　바로크 건축의 화려한 외양은, 중세 사람들과 헤겔에 의해 비본질적인 것으로 파악되었고 따라서 오직 금욕의 표상으로서만 긍정적인 의미를 가질 수 있었던 '물질'이 근대에 이르러 그 자체로 긍정적인 것으로 등장하게 되었음을 보여준다. 르네상스가 불러온 인간에 대한 관심은 금욕적인 고딕양식에 육체적이고 감각적인 상징들을 채워넣기 시작했고, 하늘의 왕국에 비견될 만한 절대왕권의 왕국을 지상의 왕국에 건설하게 되었던 것이다.

　바로크 건축이 교회가 아닌 궁전의 양식으로 절정에 이르렀다는 사실은 서양의 건축적 상상력이 인간과 지상의 가치에 더 많은 긍정성을 두기 시작했음을 시사한다. 바로크 건축은 감각적 상상력에 억압적이었던 기독교 문화가 종교개혁을 기점으로 그 억압을 철회하고 감각적 이미지를 긍정하게 되었음을 보여주고 있다.

상상력,
인간 생존의 필수조건

철 학 속 의 상 상

상상력이란 과연 무엇일까? 아직까지 우리는 상상력이 무엇인지 정확한 개념을 끌어내지 못하고 있다. 정확하지 못하다는 것은 분야와 시대에 따라 각기 다른 개념과 정의를 내리고 있기 때문이다. 플라톤 이래로 상상력이라는 말과 개념은 많은 변화를 겪어왔다. 그 많은 변화 속에서도 상상력은 여전히 포착되지 않은 채 토론의 난항 속에 표류하고 있다. 그것은 진정한 상상력이란 개념화를 거부하는 것이기 때문이다. 상상력은 그 근원 자체가 정의내릴 수 없는 불분명하고 추상적인 그 무엇이다.

하지만 상상력은 인간 존재에 있어서 가장 필수적인 것이다. 이런 의미에서 철학이 상상력에 관심을 가지고 수많은 토론을 벌이는 것은 당연하다 하겠다. 이제 간략하게, 상상력의 철학의 흐름을 바꾼 중요한 철학자들의 토론을 들어보자.

철학자들은 상상력을 흔히 다른 개념과 대비하면서 성찰했다. 영국의 몇몇 사상가들은 상상을 공상과 대비하여 파악하고자 했다. 더프는 제어되지 않은 상상을 공상으로 보았으며, 비티는 공상은 세속적인 것이고, 상상은 진중한 것이라고 했다. 콜리지는 상상력을 사물을 완전히 해체하여 이상적인 통일성을 능동적으로 만드는 원칙으로 정의한 반면 공상은 사물 자체의 한계를 뛰어넘지 않고 사물의 새로운 질서를 만드는 것이라고 했다.

또한 일련의 많은 학자들은 공상은 혼란스럽고 자의적인 것이고, 상상은 분명하고 질서 있고 능동적인 것이라고 했다. 공상이 부정적인 것으로 파악된 반면에 상상은 긍정적인 것으로 평가되었던 것이다. 여기에서 우리는 상상력이 단순히 황당무계한 것을 생각하는 게 아니라 어디까지나 질서와 상관되어 있음을 알 수 있다.

한편 서구 철학사에 있어서 상상력은 아주 오랫동안 이성이나 철학적 사유에 비해 덜 중요하게 여겨졌다. 아니면 적어도 이성이나 철학으로 발전하는 단계의 과정에 놓인 것으로 간주되었다. 예를 들어 베이컨은 인간 정신의 종류에 따라 세 가지 학문을 구분했는데 기억에 기반하는 역사, 상상력에 기반하는 문학, 오성에 기반하는 철학이 그것이다.

이러한 분류는 감성에서 상상력을 거쳐 철학으로 단계적으로 발전하는 인류의 문화를 의미하는 것이었다. 베이컨은 마지막 단계의 철학을 인간 정신의 총아로 여겼다. 한편 지라르 역시 예술의 대상은 과학의 대상인 진리에 비해 훨씬 덜 중요하다고 주장했다.

데카르트나 디드로 같은 프랑스 철학자들도 상상을 이성과 반대되는 것이나 창조적 능력이 아닌 모방적-조합적 능력으로 이해했다. 또한 셸리도 상상력을 질서의 원칙으로 규정하고 예술작품을 넘어서 인간의 모든 제도들, 정치, 교육, 경제 등의 패러다임이 될 수 있다고 했다. 이성의 세기인 계몽주의 시대에서 그와 유사한 정의들은 무한정 발견된다. 계몽주의 철학자 칸트는 상상력을 《인간학》에서는 "대상의 현존 없이도(대상을) 직관하는 능력", 《순수이성 비판》에서는 "직관 중에 대상이 지금 존재하지 않지만 대상을 표시하는 능력"과 "직관의 다양을 종합하는 능력"이라고 정의한다. 다시 말해 상상력은 인식의 재료가 되는 외부의 대상 없이도 표상을 형성해내는 능력이라는 것이다.

그는 또한 상상력을 재생적 상상력과 생산적 상상력으로 나눈다. 상상력의 재생적 활동은 지성의 법칙에 종속되어 인식의 내용을 재생산하는 것인 반면에, 상상력의 생산적 종합은 인식 자체의 근거가 되는 '현상(現象)'의 근간이다.

상상력에 관한 철학적 개념규정들에서 우리는 상상력이 결코 어떤 허황된 것을 함의하는 것이 아니라 질서, 능동성, 통일성, 모방적 조합 능력, 표현능력, 재생산, 자료의 결합능력 등으로 이해되고 있음을 알 수 있다. 이같은 개념들은 모두 오성을 기반으로 한 철학이 상상력을 오성의 하위에 두고 있는 결과이다. 이 점은 과학과 상상력의 관계에서도 마찬가지이다.

과 학 에 서   상 상 으 로

근대의 과학 혁명은 경험적 관찰을 지식의 토대로 삼는 새로운 인식론의 산물이었다. 이 새로운 인식론은 영국의 경험론 철학자들에 의해 주장되었고, 그 전통은 현재의 영미철학과 과학철학 일반에서도 여전히 유효하다. 출생 직후의 인간을 '백지 상태'에 비유했던 베이컨처럼, 인간은 구체적인 경험을 겪지 않고서는 어떠한 관념도 가지지 못하고, 따라서 모든 지식은 귀납적인 경험을 토대로 해서만 가능하다는 것이 17세기 영국 경험론자들의 일반적인 주장이었다.

실증성(positivness)을 유일한 원칙으로 삼은 경험론자들은 학문의 영역에서 경험적으로 검증이 불가능한 모든 가설들을 추방했으며, 이를 통해 과학은 자신만의 영역을 확립했다. 실증될 수 없는 것은 모두가 공허한 상상이고, 이는 과학이 다룰 대상이 아니라는 것이다.

베이컨에 있어 새로운 과학을 가능하게 할 이상적 토대였던 귀납의 원리는 흄에 이르러 회의주의적 한계를 드러내게 된다. 당시 가장 이상적인 과학의 모델이었던 뉴턴의 물리학 역시 귀납적으로 증명될 수 없는 많은 가정들에 근거한 것이었기 때문이다.

우리는 경험을 통해 사과에 만유인력이라는 것이 작용하고 있다는 사실을 증명할 수 있을까? 물론 사과가 나무에서 떨어지려는 경향이 있다는 것은 증명할 수 있다. 하지만 그것이 '힘'의 작용이라는 사실을 귀납적으로 증명할 수는 없다. '힘'이란 추상적인 개념이고, 그러한 개념에 대응하는 경험은 발견될 수 없기 때문이다.

따라서 베이컨이 옹호했던 순수한 경험은 오직 현상계의 움직임과 경향을 파악하는 도구일 수 있지만, 물리학의 법칙을 증명하는 수단이 될 수는 없다. 흄의 이러한 극단적인 결론은 과학 혁명의 성과를 한순간에 부정하는 것이었고, 그것은 이후 등장한 칸트에 의해 극복되었다.

하지만 그로부터 두 세기가 지난 뒤, 또다시 흄의 후계자들에 의해 귀납의 한계가 제기되었다. 오스트리아 출신의 철학자 칼 포퍼는 귀납의 원리 자체에 의문을 던졌다. 우리는 까마귀가 모두 검은색이라는 사실을 귀납적으로 안다고 말한다. 하지만 정말 우리는 확신할 수 있는가? 엄밀히 말해 그것은 세상의 모든 까마귀를 살펴보지 않는다면 그 누구도 확언할 수 없는 명제이다. 그리고 세상의 모든 까마귀를 관찰한다는 것은 불가능하다. '까마귀는 검다'라는 명제는 당장 내일이라도 검지 않은 까마귀가 지구 반대편 어디에서 발견됨으로써 부정될 수 있다.

포퍼에 따르면 실증주의가 옹호한 귀납법은 항상 경험에 의해 반증될 수 있기 때문에 진실을 보증할 수 없다는 것이다. 하지만 포퍼는 이러한 반증 가능성을 오히려 과학의 실패가 아닌 가능성으로 보았다. 과학은 언제나 반증 가능하기에 항상 진보될 수 있는 것이다. 포퍼는 과학이 진리를 확언할 수는 없지만 항상 진리에 수렴해가고 있다고 보았다. 따라서 포퍼에게 있어 과학은 가능한 것이어야만 하고, 그렇지 못한 이론들은 과학이 아니다.

포퍼는 반증에 의해 발전하는 과학을 '추측(conjecture)'과 '논박(refutation)'의 과정으로 요약했다. 과학은 인간이 경험하는 현상계의 경향들을 설명해내기 위해 원리와 법칙을 추측한다. 하지만 그렇게 추측된 가설들은 귀납적으로 증명될 수 없기에 항상 잠정적으로만 진실이다. 왜냐하면 경험세계는 언제든지 그 추측을 반증할 가능성을 갖고 있기 때문이다. 따라서 추측은 경험의 '논박'을 통해 폐기되거나 수정된다. 그리고 수정된 가설은 이전의 가설이 설명하지 못했던 현상들을 설명해냄으로써 더욱 완벽하고 진실에 조금 더 가까운 가설이 된다. 과학은 '추측'과 '논박'의 반복이며, '논박' 가능함은 과학의 새로운 기준이다.

따라서 흄에 의하면 실증성이 결여되어 있으므로 부정되었을 뉴턴의 물리학 법칙도 포퍼에게는 훌륭한 '추측'으로 옹호될 수 있다. 포퍼는 흄과는 반대로 뉴턴의 상상이 항상 논박될 수 있기 때문에 긍정된다고 말할 것이다. 포퍼가 제기한 새로운 과학적 인식론은 과학 혁명 이후 오랜 시간 동안 사람들이 과학에 가지고 있던 편견들을 불식시키는 것이었다. 과학은 항상 상상의 비약을 통해 더 나은 가설을 추측해왔고, 그것이 상상인 이상 틀릴 수 있다는 사실은 오히려 과학의 진보를 가능하게 하는 원동력이었다.

과학이 귀납적 경험으로부터 가설적 측면으로 근거를 옮기면서 과학이 상상력과 연계될 가능성을 갖게 된다. 오늘날 비가시적인 것을 가시화시켜주며 물질의 새로운 조합을 통해서 모든 것을 가능케 해주는 나노과학의 놀라운 발전들은 과학이 본격적으로 상상과 창의성의 세계로 이입되고 있음을 보여주고 있다.

'가능한 것'으로서의 문학적 상상력

문학예술 분야에서도 상상력은 억압에서 해방으로의 역사를 거쳐왔다. 문학은 현실을 다르게 표현한다는 점에서 본질적으로 상상력의 산물이다. 문학이론의 원조인 아리스토텔레스가 일찍이 문학이란 가능한 것을 모방한다고 선언함으로써 문학적 상상력을 정당화하지 않았던가. 그러나 문학적 상상력의 양태는 시대에 따라서 작가에 따라서 각기 다른 양상을 보여주고 있다. 문학의 역사는 곧 상상력의 역사라고 할 수 있다.

유럽 문학사에 있어서 문학적 상상력의 양태를 바꾼 몇 개의 분수령이 있었다. 문학은 지금 우리가 생각하는 것처럼 자유롭고 상상적인 글을 허용하는 것이 아니었다. 문학은 아리스토텔레스의 영향으로 아주 오랫동안 어떤 특정한 규칙에 의해 창작되는 것으로 이해되었다. 예를 들어 고전주의 문학은 기승전결, 특정한 어투, 등장인물들 간의 갈등, 시간·장소·사건의 통일 등 여러 가지 틀에 박힌 규칙에 따라 씌어졌다.

그런 전통이 획기적으로 바뀌게 된 것은 낭만주의에 이르러서였다. 그제야 비로소 완전히 자유로운 상상력에 의해 문학이 창작될 수 있었다. 그런데 이런 문학적 상상력의 해방이 있기 전 이를 가능하게 한 전조들이 있었다. 그 가운데 중요한 분수령이 계몽주의 시대의 문학 논쟁이었다. 18세기 중엽 독일에서 문학적 상상력에 대해서 고트셰트와 보드머, 브라이팅거 사이에 있었던 논쟁이 바로 그것이다.

고트셰트는 당시 독일 라이프치히에서 활동하던 이론가로서 독일에서 처음으로 문학 이론을 집대성한 학자였으며, 보드머와 브라이팅거는 스위스 취리히에서 활동하던 문학이론가들이었다. 그들의 논쟁은 단순히 독일 계몽주의 시대의 문학 논쟁에 그치지 않는다. 그것은 문학의 역사에 있어서 문학적 상상력, 문학적 창작의 개념에 중요한 변화를 가져왔던 논쟁으로 기록되고 있다.

고트셰트는 아리스토텔레스의 모방론에 입각한 문학론을 계승하는 전형적 이론가이다. 그는 아리스토텔레스의 미메시스(Mimesis) 이론에 입각하여 예술은 자연의 모방이라는 대원칙을 그대로 따른다. 자연모방론은 엄밀히 말해서 자연을 대상으로서 모방한다는 의미라기보다는 자연에 따라서 모방한다는 의미이다.

당시 고트셰트가 살았던 계몽주의 시대의 지식인들은 신이 창조한 자연은 그 자체로서 이미 아름답고 완전하고 이성적인 것이라고 생각했다. 자연은 신적인 것을 구현하고 있기 때문에 그 안에는 질서와 조화, 절도가 이미 내재해 있다고 생각했다. 이때의 자연은 이성과 거의 동의어이다. 그래서 예술이 이 완벽한 자연을 모방하면 아름다운 것이 된다고 했다.[3]

시인이 자연을 모방하기 위해서는 상상력을 가지고 있어야 하는데 이때의 상상력이란 새로운 것을 창조하는 것이 아니라 한 번 머릿속에 받아들인 개념을 다시 불러내는 것을 의미했다. 상상력은 결코 자연을 초월하여 기능하는 것이 아니라 어디까지나 자연의 질서 안에서 작용하는 것이기 때문이다. 상상력은 아직 이성의 손아귀에서 놀아나고 있었던 것이다.

고트셰트는 문학이 독자를 즐겁게 하기 위해서는 '거짓된 것'을 묘사할 수 있다고 주장한다. '거짓된 것'은 현실에서는 일어날 수 없는 상상적 사건이다. 그러나 이성이 절대적 규준으로 작용하고 있던 계몽주의 시대에 고트셰트는 거짓된 상상을 '개연성'이라는 개념으로 한계를 지웠다.

그렇다면 현실에서 불가능한 상상적 사건이 어떻게 개연적인 것이 될 수 있을까? 고트셰트는 당대의 계몽주의 철학자인 볼프 철학으로부터 '가능한 것'이라는 개념을 끌어들여 이것을 설명하고 있다. 우리가 살고 있는 이 세계는 가장 좋은 세계이다. 그러나 이 세계가 유일무이한 세계는 아니며 이 세계 외에 다른 '가능한 세계'들이 존재할 수 있다는 것이 볼프 철학의 전제였다. 즉 하나가 아니라 복수의 세계들이 존재하고 있다는 것이다.

그 가능한 세계들에서는 우리의 세계와는 전혀 다른 법칙들이 지배하고 있을 수 있다. 컴퓨터가 만들어낸 사이버 공간이 볼프가 말하는 또 다른 세계 중의 하나가 아닐까? 눈에 보이지도 않고 손에 잡히지도 않는, 모든 것이 가능한 디지털 세계야말로 현실과는 전혀 다른 법칙이 지배하고 있는 또 다른 세상이 아니겠는가. 어쩌면 볼프가 제시했던 가능한 세계를 오늘날 첨단 테크놀로지가 인터넷으로 구현해주고 있는지도 모른다.

고트셰트는 문학적 상상력을 바로 이 '가능한 세계'로 설명하고 있다. 모든 가능한 세계들을 묘사하는 것이 시인이며 시인을 '가능한 세계'로 인도하는 것이 곧 상상력이라고 말한다.[4] 시인은 동물들이 인간처럼 말하고 생각하는 세상에 대해서 상상적으로 묘사할 수 있다. 그러한 세상은 비록 우리 세계를 지배하는 법칙으로 볼 때는 불가능한 것이지만 볼프가 전제한 또 다른 '가능한 세계'에서는 얼마든지 일어날 수 있는 개연적인 일이다. 고트셰트에게 있어 문학적 상상력은 단지 가설적으로만 가능한 세계이다. 그것은 상상력이 개연성의 법칙에 묶여 아직은 이 현실의 경계를 떠나지 못하고 있음을 의미한다.

시인은 가설적으로 설정된 세계 안에서만 상상의 날개를 펼 수 있다. 신들과 정령들에 관한 상상력은 분명 비현실적인 것이다. 그런데 그것이 개연적인 이유는 무엇일까? 그것은 모든 종교들에서 신의 힘을 인정해왔고 모든 민족들이 신의 힘을 믿어왔기 때문이다. 또한 모든 신적인 것은 그것 자체로는 상상적인 것이지만 '가능한 세계'를 전제로 할 때에는 개연적인 것이 되기 때문이다. 미메시스 이론의 틀 안에서 창조적 상상력은 극히 제한적이었다. 고트셰트에게 있어서 상상력은 단지 재생산적인 의미를 가지고 있었고 '무의식적인 연상 작용 행위' 정도로 파악되었을 뿐이다. '가능한 것'이라는 철학적인 개념이 문학적 상상력을 정당화시키고는 있으나 상상력이 결코 개연성과 인과율의 한계를 넘어서지는 않는다. 고트세트는 궁극적으로 이성과 자연과 같은 합리주의적 개념들에 너무 얽매임으로써 시적 상상력의 완전한 해방을 제한시키고 있었던 것이다.[5]

'낯설게 하기'로서의 문학적 상상력

반면에 스위스의 문학이론가였던 보드머와 브라이팅거는 상상력에 관해서 고트세트와 생각을 달리하고 있다. 그들 역시 자연모방론과 개연성의 시학에서 출발한다. 그럼에도 그들은 사람의 마음을 움직이는 문학의 힘을 강조함으로써 상상력에 대해서 더 관용적인 입장을 취한다. 브라이팅거 역시 '가능한 것'의 모방을 통해서 시인은 창조자가 된다고 했다. 그는 "창작이란 환상 속에서 스스로 새로운 개념들과 생각들을 만드는 것이다"라고 말한다.

그런데 그 새로운 개념들과 생각들의 원본은 실제 현실세계에 있는 것이 아니라 어떤 다른 가능한 세계에서나 찾을 수 있는 것이다. 따라서 창작된 하나의 시는 바로 다른 가능한 세계로부터 끌어낸 이야기라는 것이다. 바로 이 점에서 시인에게만 오로지 창조자라는 이름이 부여될 수 있다. 왜냐하면 시인은 보이지 않는 사물에 눈에 보이는 윤곽을 부여할 수 있을 뿐만 아니라 감각으로 인지할 수 없는 사물들도 만들어내기 때문이다. 시인은 보이지 않는 사물을 보이게 함으로써 마치 그것이 현실인 것처럼 묘

그림 7 존 밀턴의 작품 《실낙원》 속 삽화.

사하는 창조자인 것이다.[6]

여기에서 상상력은 눈에 보이지 않는 것을 눈에 보이는 것처럼 묘사하는 힘으로 정의되고 있다. 가능한 세계를 묘사하되 가능한 것을 마치 현실인 것처럼 나타낼 때 시인은 비로소 창조자가 된다는 것이다.

고트셰트와 보드머, 브라이팅거 간의 논쟁은 주로 밀턴의 《실낙원》을 중심으로 전개되었다. 《실낙원》에 등장하는 천사의 존재에 대해서 볼테르는 "천사란 눈에 보이지도 않는 것이요 또한 초인간적인 것이기에 단순한 상상의 산물이요 전혀 개연성이 없는 것"이라고 치부했다. 상상력을 이성의 척도로만 평가하고 있었던 고트셰트가 볼테르의 견해에 동의했음은 당연하다. 그러나 보드머는 다른 의견을 주장한다. 그는 초자연적인 천사라고 해도 그들의 캐릭터가 시인에 의해서 다시 새롭게 묘사되는 한 그것은 망상이나 공상 이상의 것이라고 생각한다.

밀턴이 눈에 보이지 않는 정령들과 천사들에게 눈에 보이는 형상과 인간적 성격을 부여했다는 사실은 가능한 것을 마치 현실인 것처럼 묘사했다는 점에서 하나의 창조적 작업으로 여겨질 수 있다. 여기에 대해 볼테르는 천사는 인간의 감각으로 인지할 수 없는 것이기에 인정할 수 없다고 반박한다.

반면 보드머는 독자의 상상력을 들이대면서 다시 볼테르를 비판한다.

보드머는 천사도 독자의 상상력에 비추어보면 충분히 개연적인 존재라고 주장한다. 우리의 오성으로 비추어볼 때는 개연성이 없는 것도 우리의 감각과 상상에 비추어보면 개연적일 수 있다는 논리이다. 보드머는 오성에 근거한 진리와 상상에 근거한 진리를 구분함으로써 단순히 오성에 근거한 진리만을 주장한 볼테르와 고트셰트를 반박하고 있는 것이다.

보드머는 볼테르가 수용자의 상상력을 전혀 고려하지 않았음을 지적한다. 볼테르는 오성에 근거한 진리만을 척도로 가지고 있었기 때문에《실낙원》의 상상적인 요소들을 전혀 개연성이 없는 것으로 치부하고 말았다는 것이다. 보드머는 문학이란 작가의 상상력이 수용자의 상상력에 작용하는 것으로 이해했다. 이 점은 오늘날 무엇보다도 창조자와 수용자의 쌍방향 소통이 예술 소비의 가장 큰 틀이 되고 있음을 고려할 때 주목할 만한 것이다.

보드머는 나아가 독자의 마음을 움직이고 즐겁게 하기 위해서는 상상력은 일상적인 개념, 관습, 습관들과 상충되는 어떤 새로운 것을 묘사해야 한다고 생각했다. 그에게 상상력은 자동화된 인식에서 탈피하는 것, 즉 '낯설게 하기'인 것이다. 낯익은 것은 우리의 감각을 마비시키며 감동을 줄 수 없다. 한 시대에는 상상적인 것이 다른 시대에서는 일상적인 것이 되어버릴 수 있기 때문에 상상력은 상대적인 개념이며 역사적인 개념이다. 고로 문학은 각 시대마다 각기 다른 상상력을 구가해야 하는 것이다.

보드머와 브라이팅거는 상상적인 것이 사물에 내재한 특성이라기보다는 수용자의 상상력에 좌우되는 것이라고 생각했다. 이 같은 상상력의 시점의 변화는 이후의 상상력 역사에서 결정적인 전환점을 마련하는 계기가 되었다. 동일한 미메시스 이론에서 출발한 고트셰트와 보드머, 브라이팅거가 서로 다른 상상력의 개념을 보여주고 있는 것은 바로 이 같은 시점의 차이다. 고트셰트가 가능한 세계를 가설적으로 전제함으로써 상상력을 개연성에 종속시켜놓고 있는 반면, 보드머와 브라이팅거는 수용자의 상상력을 척도로 내세움으로써 상상력을 확장시키고 있다. 그들은 문학적 상상력의 개연성을 이성으로부터 해방시켜 상상력에 기초하게 함으로써 상상력의 해방에 결정적인 역할을 한 것이다.

몽상과 미신이 빚어낸 세계

요정동화와 상상 게임

괴테의 《젊은 베르테르의 슬픔》은 주인공 베르테르가 당시의 사회적 윤리와 규범을 깨면서 유부녀와 사랑에 빠졌다는 점에서 가히 혁명적인 작품이라고 할 수 있다. 베르테르는 자기가 처해 있던 사회적 틀을 벗어나서 사랑에 빠진 자로서 세상을 다르게 바라보고, 자연을 자신만의 주관적인 시각에서 인지한다는 점에서 상상력이 풍부한 인물이다.

그러나 그는 자신의 주관적인 사랑을 얽매고 있던 사회적 규범을 의식하고 있었기에 그의 고통은 더욱더 컸으리라. 당시 많은 젊은이들이 자신들을 베르테르와 동일시하면서 베르테르를 따라 실제로 자살을 시도했다는 것은 우리에게 많은 것을 시사하고 있다. 그들은 괴테의 상상력의 결과물인 소설의 주인공과 현실을 구분하지 못하고 상상의 세계를 모방하여 자신을 죽음으로 몰아갔던 것이다.

소위 이러한 베르테르 현상은 오늘날 미디어가 현실을 구성해가는 시대에도 자주 발생하고 있다. 어린아이들이 TV 프로그램을 보고 그대로 따라하다가 집을 나가 실종되는 사건 등이 그것이다. 현실과 상상의 세계를 구분하지 못하는 사람을 우리는 몽상가라고 부른다. 그들은 모두 돈키호테의 후예들이다.

돈키호테야말로 몽상가의 계보에서 가장 위에 자리하고 있다. 기사들의 황당무계한 모험담을 서술한 기사소설을 너무 많이 읽은 늙은 돈키호테는 자기가 소설에서 읽은 내용을 현실에서 그대로 실현하기 위해서 산초 판차를 데리고 길을 떠난다.

세르반테스는 환상과 현실을 구분하지 못하는 돈키호테를 우스꽝스러운 몽상가로 묘사해 독자들에게 많은 오락적 재미를 유발하고 있다. 그러나 또 한편으론 황당무계한 기사소설을 패러디함으로써 강한 시대 비판적 의식을 표현하고 있기도 하다. 그래서 우리는 돈키호테를 풍자문학의 걸작으로 평가하고 있으며 중세 기사소설적 상상력의 황당무계함에 대한 근대적 의식의 표출로 해석하고 있는 것이다.

1764년 독일에서 또 한 명의 돈키호테가 탄생한다. 그의 이름은 돈 실비오이다. 계몽주의 시대 독일의 작가 빌란트가 발표한 소설 《돈 실비오》의 주인공이 바로 독일의 돈키호테인 것이다. 소설의 정확한 제목은 《몽상에 대한 자연의 승리 또는 돈 실비오 폰 로잘바의 모험. 모든 경이로운 것이 자연스럽게 일어나는 이야기》이다. 기사소설에 탐닉한 돈키호테가 현실과 환상을 구분하지 못하는 몽상가로 등장하듯이, 돈 실비오는 요정동화를 너무 탐독한 결과 동화의 세계와 현실을 혼동하게 된다.[7]

돈 실비오가 어느 날 숲 속에서 푸른 나비 한 마리를 잡았다. 그는 그 나비가 큰 한숨을 쉬었다고 생각하면서 동화 속의 요정이거나 마술에 걸린 공주임에 틀림없다고 상상한다. 그래서 그는 나비를 날려 보낸다. 잠시 후 그는 우연히 아름다운 여인이 그려진 보석목걸이를 발견한다. 그리고 돈 실비오는 황새에 먹힐 뻔한 개구리 한 마리를 구해주는데 그 개구리가 불의 요정 살라만더의 여왕인 라디안테로 변신해 그에게 말한다. 돈 실비오는 한 공주를 사랑할 운명인데 그 공주는 사악한 요정 판퍼뤼쉬의 조카인 녹색 난쟁이와의 결혼을 거부했기 때문에 마술에 걸려 푸른 나비로 변했으며, 오직 돈 실비오만이 그녀를 마법에서 풀어줄 수 있다는 것이다. 그리하여 돈 실비오는 푸른 나비를 찾아 시종 페드릴로와 함께 모험을 떠난다.

빌란트의 소설 《돈 실비오》에 나타난 상상력은 돈 실비오의 몽상에 바탕을 두고 있다. 소설은 온통 요정동화들의 모자이크적 상상력의 산물이다. 돈 실비오는 자기가 읽은 요정동화의 세계를 현실에서 직접 실현시키고자 하는 전형적인 몽상가이다. 돈 실비오의 몽상은 그의 머릿속에만 존재하는 상상의 세계이다. 현실 세계는 오로지 돈 실비오의 상상에 의해서 해석되고 있으며 모든 것이 동화의 세계로 전치되고 있다. 그에게는 환상과 현실의 경계가 완전히 없어진 것이다. 현실의 세계에 초자연적인 세계가 들어서며 그것이 그에게 가장 확실하고 유일한 세계이다. 감각 대신 상상이 그의 인식기관이다. 몽상가는 오로지 상상의 세계만을 유일한 현실로 고수하기 때문에 그에게는 불가능한 것이 가능한 것으로, 경이로운 것이 자연스러운 것이 된다.

돈 실비오가 숙모인 돈나 멘시아가 그와 결혼시키려고 하는 못생긴 처녀 돈나 메르겔리나를 정원에서 만났을 때 그는 그녀를 자신의 이상의 여인인 공주라고 상상해버린다. 현실과 상상을 구분하지 못하는 그는 미친 사람으로 간주되지만, 그는 결코 현실로 되돌아오지 않는다. 돈 실비오가 이처럼 자기의 몽상적 관점에 사로잡혀 자기가 상상하는 동화의 세계만을 유일한 현실로 인정함으로써, 제2의 세계로서의 상상의 세계가 구성되고 있는 것이다.

한편 시종 페드릴로 역시 몽상으로서의 상상의 세계를 구성하는 데 일조하고 있다. 페드릴로는 미신을 대변하고 있는 인물로 나타나고 있으며 일관성이 없는 시각을 가지고 있다. 그는 돈 실비오의 몽상적 관점을 때로는 반박하는가 하면 때로는 증명하기도 한다.

돈 실비오와 페드릴로가 어두운 숲 속을 지날 때 미신에 사로잡혀 있는 페드릴로는 모든 나무들을 거인으로 상상한다. 그의 환상은 그가 보는 모든 것들을 유령으로 만들어버린다. 몽상가와 미신을 믿는 자들에게는 상상이 공통의 인식기관이다. 그러나 몽상가 돈 실비오가 페드릴로의 미신에 대해서 겉보기에 아주 이성적인 입장을 취한다. "너는 나를 돈키호테로 만들려고 그러느냐? 그리고 나를 속여 풍차를 거인으로 여기도록 할 것이냐?"[8] 돈 실비오의 이 말은 자기 자신의 몽상에 대한 비판으로 들린다. 그러나 이 이성의 소리는 자신의 몽상적 관점에 아무런 영향을 미치지 못한다. 돈 실비오가 몽상가로서 몽상의 반대인 이성을 대변하고 있지만 그 이성은 단지 그의 상대자 페드릴로에게만 유효할 뿐이다. 몽상가와 미신을 믿는 자의 모순적 상호작용을 통해서 몽상으로서의 상상의 세계는 계속된다.

돈 실비오와 페드릴로가 밤에 먼 곳으로부터 불덩이가 다가오는 것을 보았을 때 돈 실비오는 그 빛을 불의 요정 살라만더로, 페드릴로는 도깨비로 생각한다. 불덩이에 다가가는 도중에 그들은 개구리 웅덩이에 빠지게 된다. 그러나 돈 실비오는 자기가 그 불덩이를 살라만더로 여겼다는 사실 자체만 의심할 뿐 자신의 몽상에 대해서는 결코 회의하지 않는다. 반면에 페드릴로는 이 일로 사고의 변화를 일으켜 돈 실비오에게 로잘바로 돌아가 돈나 메르겔리나와 결혼하라고 충고한다.

그러나 돈 실비오의 몽상과 배치되는 페드릴로의 가상적인 합리성은 경험적 현실에 관계되는 것이 아니다. 페드릴로가 그의 이성적 충고를 오히려 동화의 세계로 전치시키고 있기 때문이다. 즉 돈나 메르겔리나가 단번에 성을 루비로 바꿀 수 있는 판퍼뤼쉬의 질녀이기 때문에 돌아가자는 것이다. 돈 실비오와 페드릴로와의 대립은 단지 그들의 고정관념 내에서만 유효하다. 일상적 현실과의 관계가 맺어지지 않는 한 몽상과 미신은 이렇게 상상의 유희만을 되풀이하고 있을 뿐이다.

어느 날 돈 실비오는 녹색 난쟁이가 보석목걸이를 훔쳐가려는 꿈을 꾼다. 꿈에서 깨어난 그는 자신의 꿈이 현실이었다는 것을 전혀 의심하지 않는다. 그는 말한다. "그 일이 일어났을 때 나는 분명 깨어 있었다. 나는 내 두 눈으로 똑똑히 보았다. 나는 내 귀로 분명히 들었다. 나는 모든 감각들을 사용하고 있었다. 고로 나는 분명 깨어 있었음에 틀림없다."[9] 여기에 대해 페드릴로는 그것은 완전히 꿈이었다고 주장하면서 그 증거물로 돈 실비오가 아직도 목에 걸고 있는 보석목걸이를 가리킨다. 페드릴로의 이성적인 설명은 곧 돈 실비오에 의해 비이성적인 것으로 재환원된다. 목걸이가 아직 목에 걸려 있다는 사실을 그는 자기를 수호해주는 요정인 라디안테 덕으로 돌린다. 몽상과 미신의 상호작용은 단지 상상의 게임일 뿐 경험적 현실과의 관계는 설정되지 않는다.

돈 실비오와 페드릴로가 잠자는 사이에 돈나 펠리치아와 라우라가 나타난다. 페드릴로는 그들을 돈 실비오에게 요정으로 묘사한다. 페드릴로가 시녀 라우라를 사랑하는 마음에서 그 역시 요정동화를 생각한 것이다. 그러나 돈 실비오는 그것을 인정하지 않는다. 왜냐하면 푸른 나비로 변신한 공주를 마술에서 구출하기 전까지는 어떠한 요정도 나타날 수 없다는 생각에 사로잡혀 있기 때문이다. 그리고 그는 라우라를 녹색 난쟁이의 누이인 돈나 메르겔리나라고 상상해버린다. 몽상과 미신이 빚어내는 상상의 세계는 그들이 현실과의 관계를 맺지 않고 있는 한 절대적 자율성을 획득한다.

상상의 이성적 유희

작가 빌란트가 이러한 몽상으로서의 상상의 세계를 묘사하고 있는 이유는 무엇일까? 그리고 그 상상력은 당시 이성의 문화가 지배하고 있던 계몽주의 시대에 어떠한 의미를 가지고 있었을까? 이것은 돈 실비오의 몽상의 세계와 거리를 취하면서 자신을 이성적 경험적 시각의 대변자로서 드러내주는 이 소설의 이야기꾼의 역할에서 그 답을 구할 수 있다.

이야기꾼은 독자에게 이 세계에는 두 개의 현실이 존재하고 있다는 것을 주지시킴으로써 상상한 일과 정말로 일어난 일 사이를 구별해야 한다는 이성적인 관점을 환기시키면서 독자를 혼란스러움으로부터 벗어나게 한다. "정말 우리의 바깥에 존재하는 사물이 있는가 하면 또한 단순히 우리의 머릿속에만 존재하는 사물이 있다. 전자는 그것이 존재하는 것을 우리가 몰라도 존재하는 것이요 후자는 그것이 존재한다고 상상해야 존재하는 것들이다. 그것들은 그 자체로서는 아무것도 아니지만 그것을 현실로 여기는 사람에게는 마치 정말 이것이 어떤 것이라도 된다는 듯 꼭 같은 영향을 미치는 것이다."[10]

돈 실비오의 몽상은 후자로서 그의 머릿속에만 존재하는 상상의 세계이다. 두 가지 종류의 현실이 존재한다는 전제하에, 모든 동화적 상상은 그것이 단지 순수한 상상의 세계를 묘사하고 있는 한 우리에게 개연적인 것으로 인식된다. 상상을 이성으로 평가하지 않고 상상력으로 평가할 때 그것은 우리에게 개연적인 것으로 인식되고 그로써 역설적으로 환상적 유희의 완전한 자유를 보장받게 된다. 상상을 현실이라고 생각하는 돈 실비오에 대해서, 상상은 단지 상상일 뿐이라고 암시하는 이야기꾼의 계몽주의적 이성적 시각이 나타나고 있는 것이다.

이야기꾼은 상상의 연출자이다. 그를 위해서 그는 독자에게 그 어떠한 고정된 시각도 제시하지 않는다. 그는 자신의 작품으로부터 항상 거리를 취하고 있으며 자신도 이 소설에 대해 모든 것을 다 알지는 못한다고 토로한다. "나는 모든 것을 각자의 위치에 놓을 뿐이다. 내가 확실히 말할 수 있는 것은 돈 실비오 폰 로잘바가 나를 이런 종류의 다른 어떤 책만큼 웃겼다는 것뿐이다."[11]

이야기꾼은 이 소설이 단순한 익살소설일 수도 있고 아니면 반기독교적이고 신앙의 전복을 위해서 쓰인 위험한 책일 수도 있고 풍자소설일 수도 있음을 암시한다. 이야기꾼은 이렇게 자신의 작품을 여러 각도에서 조명하고 있을 뿐 한 관점의 절대화를 피하고 있다. 이것은 작가 빌란트의 계산된 전략이다. 그는 이러한 주석적인 이야기 서술방식을 통해서 한편으로는 계몽주의적 이성적 관점을 독자에게 암시적으로 가시화해주고 있으며, 또 한편으로는 동시에 제2의 현실로서의 상상의 세계를 연출해내고 있다.

이야기꾼은 모든 관점들에 대해 개방적이고 모든 것을 수용하기 위해 어떠한 고정된 현실도 허용하지 않는다. 따라서 이야기 자체는 매우 동적으로 진행된다. 그는 주인공의 모험으로부터 거리를 취하면서 그것을 우스꽝스러운 것으로 해설하기도 하고 때로는 주인공의 시점에서 상상의 세계를 함께 구성하기도 한다. 이러한 모순적 견해들의 나열이 결국 상상력의 게임이 되고 있는 것이다.

이것이 작가 빌란트가 구성한 계몽주의적 상상력의 양태이다. 이성을 배후에 깔면서 유희적으로 상상해보는 것, 그러한 상상력은 바로크가 강화된 로코코 문화에서 상상력의 전형이 되고 있다. 로코코 정원을 거닐어본 적이 있는가? 로코코 정원의 가장 특징적인 것은 미로적 구조이다. 미로적 구조를 통해서 정원을 걷는 자는 환상의 유희에 빠지게 된다.

상상의 유희를 위해서 빌란트 소설의 이야기꾼은 독자와의 소통을 활성화시킨다. 그는 의도적으로 자신의 전지전능함을 포기한다. 그리고 독자와 지속적인 소통을 통해서 상상의 유희를 함께 만들어간다. 독자가 이야기꾼이 인위적으로 연출해내고 있는 유희적 상상을 현실이 아니라고 알고 있는 한, 돈 실비오의 몽상은 단지 몽상으로 받아들여질 뿐이다. 돈 실비오의 요정동화적 이야기는 작가와 독자 간의 합의된 룰에 의한 게임에 불과한 것이다. 독자와 작가의 소통적 대화를 통해서 구성되는 현실은 경험적 현실과 연관되는 것이며 그것은 인물들에 의해 만들어진 상상의 세계와 대비되고 있다. 이야기꾼이 독자와 함께 경험적 현실을 대변하고 있는 한 돈 실비오의 몽상은 가상으로서의 상상이다.

모 자 이 크   상 상 력

유희적 상상을 구성하는 데 이야기꾼의 서술전략 외에 상호 텍스트성이 커다란 역할을 하고 있다. 《돈 실비오》의 가장 큰 특징 중의 하나는 이 소설이 다른 문학 텍스트들로 짜여 있다는 것이다. 즉 세르반테스의 《돈키호테》와 프랑스의 요정동화가 모자이크적으로 짜여서 나온 상상력의 결과물이라고 할 수 있다.

이야기꾼은 돈 실비오의 몽상을 독자에게 이해시키기 위해서 《돈키호테》를 이끌어대고 있다. 그는 돈 실비오가 그의 동향인인 만차의 기사 시대 이래 혼미한 두뇌에나 떠오를 수 있을 그런 모험적 도약에 빠지기 위해 몇 발자국만 내디디면 된다는 것을 알게 될 것이라고 독자에게 말한다.

소설 《돈키호테》에 의거하여 독자들은 돈 실비오의 몽상을 개연적인 것으로 받아들일 수 있다. 돈 실비오는 곧 요정을 찾아 헤매는 젊은 돈키호테이다. 몽상가 돈 실비오의 우스꽝스러운 행동에는 요정동화에서 차용된 모티프들이 그 근저에 놓여 있다. 나비를 잡는 모티프는 프랑스의 무라 부인의 동화 〈풀잎왕자〉에 이미 나오고 있다. 즉 돈 실비오의 몽상은 돈키호테와 요정동화로 환원된다. 상상적 텍스트와 상상적 텍스트 간의 상호 관계 맺기를 통해서 돈 실비오의 몽상의 세계는 현실 세계와 무관한 순수한 상상의 세계로 남을 수 있다. 그리고 그것을 통해서 이야기꾼은 독자와 함께 상상의 유희를 즐길 수 있다.

나는 텍스트와 텍스트 간의 상호 소통을 바탕으로 한 계몽주의적 상상력이 디지털 시대의 상상력의 양상과 어느 정도 연관된다고 생각한다. 포스트모더니즘이 우리에게 남겨준 유산 중의 하나는 이 세상의 모든 텍스트가 다른 텍스트를 인용하거나 차용하고 있다는 생각이다. 다시 말해 이 세상에 새로운 것은 모두 과거의 전통에 기대고 있다는 것이다. 이것은 새로운 창조개념 또는 독창성의 개념을 시사하고 있는 것이다. 무에서 유로의 창조가 과연 가능한 것인가?

여기에 대해 나는 오늘날의 상상력은 무에서 유로의 창조가 아니라 유에서 유로 창조하고 있다고 주장하는 바이다. 무한히 쏟아지는 지식 정보들을 새롭게 조직하고 연결시키는 것, 그것이 바로 오늘날 우리가 논의하고자 하는 새로운 상상력의 개념이 아니겠는가? 때로는 동질적인 때로는 이질적인 정보들을 새롭게 짜맞추는 것이 상상력의 새로운 개념이 아니겠는가? 융합이 오늘날 가장 중요한 키워드가 되는 배경이 여기에 있다.

영화 〈슈렉〉 역시 많은 동화들의 모티프를 바탕으로 하여 만들어졌다. 거기에 〈백설공주〉, 〈엄지공주〉, 〈헨젤과 그레텔〉 등 동화 속 주인공들이 직접 등장하고 있다는 사실은 매우 흥미롭다. 〈슈렉〉처럼 돈 실비오의 이야기 역시 요정동화들의 모자이크 상상력인 것이다.

계몽주의자 빌란트의 목표는 결국 몽상가 돈 실비오를 치유하는 것이다. 다시 말해 돈 실비오가 요정동화의 세계를 현실과 혼돈하지 않고 단지 상상적인 동화의 세계로 인지하게끔 하는 것이다. 즉 동화와 현실의 같음을 동화와 현실의 다름으로 전환시키는 것이다. 이 소설에서는 미래의 새로운 직업으로 떠오르게 될지도 모를 '상상력 테라피스트'가 등장하고 있다.

흥미로운 것은 돈 실비오의 몽상이 아이러니하게도 또 하나의 동화 〈비리빈커 왕자의 이야기〉를 통해서 치료된다는 사실이다. 작품 중에서 돈 가브리엘이라는 인물에 의해 얘기되어지는 이 동화 역시 요정동화들의 모자이크이다. 그러나 이 동화는 너무나 과장된 상상적인 이야기이기에 그 동화 속의 주인공 비리빈커 왕자는 스스로 놀라게 된다. 즉 그가 고래 배 속에 들어가서 '불로 된 샘'에 대해 들었을 때 그는 놀라 소리를 지를 뻔했던 것이다. 이러한 반응은 동화에서는 일어날 수 없는 일이다. 왜냐하면 동화의 주인공은 어떤 상상적인 사건과도 항상 자연스럽게 만나기 때문이다. 동화 속에서의 동화 주인공의 소외, 이것이 바로 돈 실비오의 몽상으로부터의 치유를 암시하고 있다.

비리빈커 왕자가 과장된 상상의 사건을 낯선 것으로 인지하듯, 돈 실비오도 요정동화의 세계를 현실이 아닌 단순한 문학적 상상력의 산물로 인식해야 하는 것이다. 비리빈커 동화에서 결국 표명되고 있는 것은 상상력의 척도는 어디까지나 상상이지 이성이 될 수가 없다는 것이다.

비리빈커 동화가 모두 이야기되어진 후에 붙은 논쟁에서 돈 오이게니오는 말한다. "요정의 나라는 자연의 경계 바깥에 있습니다. 그리고 그것은 그 자신의 법칙들에 따라서 혹은 더 바르게 말하면 어떤 법칙에 의해서도 지배되지 않습니다. 우리는 하나의 요정동화를 다른 요정동화에 의해

몽상가 돈 실비오는 어떻게 치유될 수 있을까?

서만 평가할 수 있습니다. 이런 관점에서 나는 비리빈커를 개연적이며 교훈적인 것이라고 생각할 뿐만 아니라 모든 관찰을 해볼 때 이 세상의 다른 어떤 동화보다도 훨씬 더 흥미로운 것이라고 생각하는 바입니다."[12]

요정동화의 상상은 그 자체로는 독자성을 인정받고 있다. 그러한 독자성은 현실에 대한 독자성이 아니라 그 자체로만 정당한 독자성이다. 빌란트는 이것을 상호 텍스트성으로 정당화하고 있는 것이다. 하나의 요정동화가 다른 요정동화에 근거하고 있는 상호 텍스트성이야말로 상상력의 근원이다. 비리빈커 동화를 만든 돈 가브리엘도 다른 요정동화에 없는 것을 생각해내기란 불가능했음을 스스로 고백하고 있다. 이러한 상호 텍스트성을 통해서 상상력의 유희적 성격이 담보되고 있는 것이다.

빌란트는 돈 실비오의 몽상의 치유를 통해서 당시의 이성적 규범을 확인함과 동시에, 그 몽상 자체에 대해서 웃으면서 상상의 유희를 즐길 수 있는, 즉 이성과 상상의 동맹이 가능한 독특한 형태의 미학을 창출하고 있다. 이는 보드머와 브라이팅거의 가능성의 시학에 기반한 상상력의 정당화와 상상력의 해방으로 가는 과정으로 이해할 수 있다.

낭만주의 시대, 상상력의 날개를 펴다

이상주의 철학과 상상력의 해방

이성의 손아귀에 놓여 있던 상상력이 비로소 완전히 해방된 것은 낭만주의 시대이다. 낭만주의는 이 세계를 더 이상 이성에 의해 규정되는 것으로 보지 않는 정신적 태도이다. 따라서 낭만주의는 현실이 수수께끼와도 같은 것이며 신비스러운 것이라고 이해한다. 그래서 낭만주의는 현실을 떠나 또 다른 세계로 진입하며 멀리 있는 것, 낯선 것, 무한한 것을 동경하면서 상상의 날개를 편다.

더 이상 이성에 속박되어 있지 않는 낭만적 상상력은 독자적으로 자신만의 세계를 창조한다. 즉 예술가는 상상력을 통해서 현실에 있지 않은 또 다른 세계의 모델을 독자적으로 창조하는 것이다. 이 점에서 그는 제2의 신이다. 상상력은 더 이상 몽상에 근거한 유희적 성격을 가지지 않고 보다 진지하며 존재론적이고 철학적으로 된다. 사실 낭만주의의 배경에는 만물의 근원을 물질이 아닌 정신으로 파악하고 그 정신을 절대화시켰던 칸트, 피히테, 셸링에 이르는 독일 이상주의 철학이 놓여 있다.

칸트는 인간을 철학의 중심에 놓고 인간 내면으로의 길을 정초했다. 즉 그는 경험적 대상으로부터 인간 주관으로의 복귀를 선언하고 주관의 의식이 대상에 법칙들을 정해주고 있다고 생각한다. 그는 인간 이성의 한계를 지적하면서 우리의 인식은 오로지 경험과 감각적 인지에 근거하고 있다고 말한다. 또한 인간은 이미 선험적으로 시간과 공간의 직관 형식과 사고와 오성의 형식들을 가지고 있기 때문에 사물 자체, 현상의 핵을 파악하는 것이 불가능하다고 생각한다. 따라서 우리가 체험하는 이 세계는 우리의 주관적 표상이라는 것이다. 이것이 상상력의 해방을 가져온 사상의 근본적인 배경이 되고 있다.

칸트의 제자인 피히테 역시 인간의 인식을 사물 자체로부터 분리시킨다. 즉 인간 의식의 외부에 놓여 있는 객관적 진리와 자아는 별개의 것이라고 생각한다. 인식된 세계는 오로지 정신에 의해 규정되는 것이다. 피히테는 대상 자체를 부인하고 자아가 아닌 비자아는 오로지 자아의 사유적 산물이라고 생각한다.

우리는 나무를 왜 푸르다고 인식하는가? 우리의 자아가 그렇게 생각하기 때문이다. 세계는 자아에 좌우된다. 그는 자의식의 한계 바깥에 무엇이 존재한다고 생각하는 것은 망상이라고 생각한다. 인간이 신의 형상으로 창조되었다는 것이 무엇을 의미하는지 드러나고 있다. 모든 것을 포괄하고 인식하는 창조적 주관이 최고의 심급이기 때문에, 상상력을 가지고 태어나는 인간은 카오스로부터 질서를 만들고, 하늘과 땅을 가르고 별들의 운행을 정하는 신과도 같은 것이다. 피히테는 인간 정신의 전능함에 대한 강한 믿음을 표방하고 있다. 이 같은 생각이 세계를 자아 속에 가져와 자의적으로 새로운 세계를 창조하고자 했던 낭만주의자들에게 다가왔다. 피히테의 철학이 인간의 내면에 모든 해결책이 있다는 낭만주의 신념을 강화시켰던 것이다.

피히테가 자아에서 출발하여 인식론적 이상주의를 표방한 반면에 셸링은 자연에서 출발하고 있다. 그는 자연과 정신이 동일하다는 명제에서 출발하면서 전 자연이 정신화되어 있다고 주장한다. 즉 자연은 보이는 정신이요 정신은 보이지 않는 자연인 것이다. 우리 밖에 어떻게 자연이 존재할 수 있는가? 그것은 우리 안에 있는 정신과 우리 밖에 있는 자연이 완전히 동일하기 때문에 가능한 것이다. 철학이라는 것은 우리가 자연과 하나였던 상태를 회상하는 것이다. 이 점에서 셸링은 예술가의 창작과 세계의 창조는 동일한 것이라고 한다.

독일의 이상주의 철학으로 이제 상상력은 그 해방의 정점을 맞이하게 된다. 낭만적 상상력으로 시인은 독자적인 법칙을 가진 세계를 주조할 수 있는 진정한 창조자가 될 수 있는 것이다. 내가 세계 안에 있다기보다 세계가 내 안에 있다. 상상력은 더 이상 계몽주의 시대에서처럼 '가능한 세계'에 기댈 필요가 없다. 이성의 눈치도 볼 필요가 없다.

낭만적 상상력은 자아와 세계가 분리되어 있음을 강하게 인식하면서 동시에 자아와 세계의 하나됨을 꿈꾼다. 즉 객관과 주관, 현실과 환상, 꿈과 현실, 내면과 외면의 합일을 꿈꾸는 것이다. 두 개의 상반된 세계가 일원론적으로 하나가 되는 꿈을 낭만주의자들은 무엇보다도 동화의 세계에서 구현할 수 있다고 생각했다. 동화에서는 현실의 인과율이 완전 폐기되고 모든 경이로운 것들이 자연스럽게 일어날 수 있기 때문이다. 그러므로 낭만주의적 상상력은 동화에서 그 최고의 표현 형식을 찾을 수밖에 없었다.

푸른 꽃을 찾아

우리는 낭만적 상상력의 원형을 독일 낭만주의의 대표 작가인 노발리스에게서 찾아볼 수 있다. 그의 본명은 게오르크 프리드리히 필립 폰 하르덴

그림 8 노발리스에게 상상력의 여신이었던 소피.

베르크이며, 노발리스는 그의 필명으로 '새로운
땅을 개척하는 자'라는 의미이다. 그는 1794년 소피
폰 퀸이라는 13세 소녀를 만난 순간 불과 15분 만에 자신의 운명을 결정
해버린다. 소피와의 깊은 사랑, 약혼 그리고 소피의 죽음을 겪으면서 노발
리스는 죽음과 밤을 노래하는 낭만주의자가 된다. 29세로 요절한 그의 짧
은 생애에 소피는 그에게 상상력의 여신으로 승화되어 그의 모든 작품에
등장하고 있다.

노발리스의 낭만화 프로그램은 이러한 체험에서 나온 상상력의 기획이
다. 노발리스는 선언한다. "세계는 낭만화되어야 한다. 낭만화란 평범한
것에 고귀한 의미를, 일상적인 것에 신비스러운 외양을, 낯익은 것에 낯선
위엄을, 유한한 것에 무한한 외모를 부여하는 것이다."[13] 낭만화란 상상력
을 통해서 세계를 질적으로 바꾸는 것이다. 낭만화를 위해서 시인은 현실
을 떠나 동화의 환상의 세계로 빠져들어 간다. 그래서 그에게는 동화가 모
든 문학의 경전이요 모든 문학적인 것은 동화적이어야 하는 것이다.

그의 소설 《하인리히 폰 오프터딩엔》, 일명 《푸른 꽃》은 낭만적 상상력
의 최고 상징으로서 동화적인 소설이다. 이 작품은 주인공 하인리히가 시
인으로서 완성의 길을 향해 가는 성장소설로 거기에는 꿈, 동화, 신화들이
얘기되고 있다.

하인리히는 어느 낯선 남자로부터 전해들은 푸른 꽃에 대한 이야기에
사로잡혀 있다. 그 이야기는 필시 노발리스가 푸른 꽃의 모티프를 가져온,
독일 튀링겐 지방 광부들 사이에서 전해 내려오는 전설일 가능성이 있다.

어느 날 한 목동이 마력을 지닌 아름다운 꽃을 꺾어서 자신의 모자에 꽂았다. 그 꽃의 마력 덕분에 그는 갑자기 보물로 가득 찬 동굴의 입구를 발견한다. 목동이 보물들을 가지고 밖으로 나가려 했을 때 누군가의 목소리가 들렸다. "가장 소중한 것을 잊지 말지어다!" 그러나 목동은 그 말을 귀담아듣지 않고 마법의 꽃을 잊어버린 채 동굴 밖으로 나왔다. 그러자 동굴 문은 닫히고 목동은 그 꽃을 영원히 잃어버렸다.

튀링겐 지방에서 전해 내려오는 이 전설에서 꽃의 색깔이 직접 언급되고 있지는 않다. 그러나 이 전설에 대해서 야콥 그림은 여러 지방에서 얘기되고 있는 이러한 류의 전설에서는 일반적으로 꽃의 색깔이 푸른색이라는 사실을 말한 바 있다. 그리고 푸른색은 신들과 정령들의 고유한 색깔이라고 했다.[16]

그림 동화집에 수록된 〈푸른빛〉이라는 동화에서도 푸른색은 매우 중요한 역할을 하고 있다. 그 동화에서 한 병정은 그를 위해 기적적인 일들을 해주는 난쟁이를 푸른빛으로 불러낸다. 왜 동화나 전설에서 푸른색이 자주 등장하는 것일까? 독일의 돈키호테인 돈 실비오도 푸른 나비를 마법에 걸린 요정동화 속의 공주라고 상상하고 쫓아가지 않았던가?

역시 낭만주의 작가 호프만의 《황금단지》라는 소설에서는 주인공인 대학생 안젤무스가 엘베 강가에서 돈이 없어 축제에도 갈 수 없는 자신의 가련한 신세를 한탄하면서 궐련을 피우다가 나뭇잎 사이에 빛나고 있는 연두색 뱀의 푸른 눈에 이끌려 사랑에 빠진다. 그에게는 그 이후 모든 존재의 조화가 계시되는 기적의 나라 아틀란티스의 세계가 열린다.

안젤무스가 피웠던 귈련이 당시에는 약국에서 쉽게 구입할 수 있었던 일종의 마약이라는 해석도 있을 수 있으나, 어쨌든 푸른 눈은 곧 상상의 세계를 열어주는 직접적인 계기가 된다. 우리는 푸른색이 낭만주의와 깊은 연관이 있으며 상상력의 색깔이라고 추정할 수 있다. 실제로 옛 사전들을 찾아보면 푸른색이 한가로움, 놀라움, 거짓된 것, 먼 곳, 오리무중, 목적 없음, 무한정, 동경, 믿기지 않음, 착각, 어지러움, 기적, 동화 등의 의미들을 함의하고 있음을 알 수 있다.[15]

하인리히는 푸른 꽃의 전설을 들은 그날 푸른 꽃에 대한 이루 말할 수 없는 동경에 사로잡힌다. 동굴 속의 보물 때문에 그렇지 않다는 것을 그는 너무 잘 알고 있다. 하인리히는 꿈을 꾼 듯한 기분이었고 전혀 다른 세계로 가 있는 기분이었다. 달콤한 환상에 빠지면서 그는 잠이 든다. 그날 밤 그는 아주 멀고 낯선 곳에 대한 꿈을 꾸었다. 그는 깃털처럼 가볍게 여러 대양을 건너다니면서 아주 다채로운 경험을 한다. 죽었다가 다시 살아나기도 했으며 여인과 사랑에 빠지기도 하고 작별하기도 했다. 그는 어느 우물가 잔디밭에서 푸른 꽃을 발견한다. 푸른 꽃 주위에는 다양한 색깔의 많은 꽃들이 피어 있었으며 달콤한 향기로 가득 차 있었다. 그가 이루 말할 수 없는 사랑스러운 눈길로 푸른 꽃을 응시하자 꽃잎들이 푸른색의 넓은 옷깃 모양을 만들었고 거기에 어여쁜 여인의 얼굴이 어른거렸다. 그 순간 그는 잠에서 깨어난다.

하인리히는 "꿈이란 밤낮 똑같은 일상을 막아줄 수 있는 방어벽이자, 묶여 있던 상상력이 활기를 되찾아 인생의 모든 그림들을 뒤섞어놓고 어른들의 한결같은 진지함을 어린아이들의 즐거운 놀이로 바꾸어놓는 놀이마당"[16]이라고 생각한다. 그는 자기가 꾼 꿈은 자신의 인생에서 결코 우연이 아니며 그 꿈이 거대한 바퀴처럼 영혼 속으로 밀고 들어와 영혼을 힘차게 들어 올리는 것을 느꼈다.

바깥세상을 한 번도 구경해본 적이 없던 스무 살의 하인리히는 어머니와 함께 외할아버지가 있는 아우크스부르크로 긴 여행을 떠난다. 그는 여행 중에 상인들이 들려준 이야기를 통해 많은 다양한 경험을 하면서 시인으로서의 완성의 길을 향해 간다. 시인으로서의 그의 편력은 마침내 아우크스부르크에서 스승 클링조어를 만나고 그의 딸 마틸데와 깊은 사랑에 빠져 결혼함으로써 완성된다.

그가 꿈속에서 보았던 푸른 꽃에 어른거린 그 여인이 바로 마틸데로 드러나는 것이다. 꿈과 현실이 하나가 되는 순간이다. 그리하여 푸른 꽃은 낭만적 상상력의 최고 상징으로 자리매김하게 되었던 것이다.

모방에서 창조의 시학으로

노발리스는 동화를 항상 꿈이라고 생각했다. "동화는 원래 아무 연관성이 없는 꿈의 형상과도 같다. 즉 경이로운 사물과 사건들의 앙상블, 예를 들면 음악적 판타지, 바람의 신 아이올로스 하프의 조화로운 연속음이며 자연 그 자체이다."[17] 또한 그는 세계는 꿈이 되고 꿈은 세계가 된다고 했다. 노발리스의 상상력은 꿈과 동화와 세계와 자연을 하나의 음악적 하모니로 만든다. 시인은 현실을 꿈으로 변형시키고 꿈을 현실로 만드는 신과도 같은 창조자이다. 상상력은 이제 자연과 현실을 질적으로 변형시키면서 끊임없이 또 다른 세계를 동경하는 무한한 에너지로 승화한다.

서양의 예술사에서, 모방의 시학에서 창조의 시학으로의 패러다임 전환은 바로 이 지점에서 일어나고 있다. 예술과 자연은 더 이상 모방적 관계가 아니다. 예술은 스스로 독자적인 세계, 현실, 자연을 창조한다. 상상력은 이제 세계, 현실, 자연 그 어느 것에도 기댈 필요가 없게 되었다. 상상력의 완벽한 해방이다.

낭만주의의 상상의 시학은 한마디로 자연에 대한 인간 정신의 우위로 요약할 수 있다. 자연이 예술 속에서 인간을 위한 규범이 아니라 인간이 예술 속에서 자연을 위한 규범이다. 예술은 인간 정신의 창조물이요 그것은 어떤 것을 모방하는 게 아니라 그 자체가 하나의 조그만 세계요 자신의 고유한 법칙을 가지고 있는 것이다. 문학은 미리 존재해 있는 대상적 현상을 투영하는 것이 아니라 유토피아적 현실의 모델을 제시한다. 그래서 문학과 예술은 이 세상에서 유일한 제2의 세계인 것이다. 그리고 문학은 환상의 자유로운 작용이요 진정한 창조인 것이다.

그래서 노발리스는 문학이야말로 진정 절대적인 실재이며 문학적일수록 더 진실된 것이라고 했다. 의식과 자연, 의식과 현실, 의식과 세계가 근본적으로 동일하다는 의미다. 시적인 상상력이 세계의 원칙이 되고 있는 것이다.

모방에서 창조로의 패러다임 전환은 미술에서 음악으로의 패러다임 전환을 수반한다. 로마의 호라티우스가 문학은 그림과도 같은 것이라고 한 이래, 낭만주의 이전까지 문학은 끊임없이 미술과 비견되었다. 그것은 객관세계의 대상을 재현하는 미술이, 문학은 자연의 모방이라는 미메시스 시학과 상응했기 때문이다. 그러나 낭만주의의 창조의 시학은 미술 대신 음악을 파트너로 삼게 된다. 인간 감성의 직접적인 표현으로서의 가장 순수한 예술인 음악의 추상적이고 반모방적인 성격이 낭만적 상상력에 부응하기 때문이다. 비가시적인 세계에 대한 낭만주의적 동경이 눈에 보이지 않는 소리의 예술과 상통했던 것이다. 그래서 노발리스는 동화를 음악적 판타지라고 한 것이다. 낭만주의 이래 소리는 상상력의 가장 중요한 요소 중의 하나가 된다.

상실된 낙원의 회상

노발리스가 이러한 절대적인 상상력의 자유를 가지고 추구하는 것은 무엇일까? 푸른 꽃의 동경에 이끌려 하인리히가 도달하고자 하는 또 다른 세계는 어떤 세계일까? 이에 대한 대답은 낭만주의의 근간이 되고 있는 역사 발전의 3단계를 고려할 때 찾을 수 있다.

낭만주의자들은 태고에 인간과 자연이 조화를 이루고 있던 순박한 시대, 즉 황금시대가 있었다고 생각한다. 현재의 시대는 그 조화가 깨져 인간이 갈등과 분열 속에서 고통 받으며 살고 있는 센티멘털한 시대이다. 낭만적 상상력은 잃어버린 과거의 원초적인 상태를 미래에 다시 복원하려는 시도이다. 그래서 노발리스는 역사도 동화가 되어야 한다고 생각한다. 동화 속에서 새로운 황금시대를 꿈꾸는 것이다. 그러므로 상상력은

상상력은 어떻게 자연과 정신을 조화롭게 만들까?

과거, 현재, 미래를 관통하면서 자연과 정신을 재통합시키려는 동력인 것이다.

아우크스부르크로 가는 여행 중에 동행한 상인들은 하인리히에게 동화 하나를 들려준다. 먼 옛날 지금의 그리스 땅에 시인들이 놀라운 악기로 신기한 소리를 내서 숲 속의 생명들과 정령들을 일깨우고, 황야나 사막에서 죽은 식물의 씨앗을 살려내 꽃 피는 정원을 만들어낸 시절이 있었다. 시인들은 또한 사나운 짐승들을 길들이고 거친 사람들에게는 질서와 도덕을 가르치고 그들의 마음속에 점잖은 품성과 평화의 예술을 심어주었으며, 사납게 날뛰는 홍수를 부드럽게 잠재우고, 심지어 죽음에 빠져 있는 바위까지도 깨워서 춤을 추게 만들었다. 시인들은 예언자이면서 성직자요 입법자요 동시에 의사이기도 했다. 마적인 예술을 통해서 그들은 하늘에 있는 초월적인 죽음을 땅으로 불러들였고 이 존재들이 그들에게 미래의 비밀들을 가르쳐주고 만물의 조화와 타고난 성질에 대해서 알려주었다.

그 옛날에 음악가이기도 한 어느 시인이 바다를 건너 낯선 나라로 가고 싶어 했다. 그는 많은 보물을 가지고 배에 탔다. 그런데 보물에 탐이 난 선원들은 그를 죽이려 했다. 시인은 자기가 가진 모든 재산을 줄 테니 살려달라고 했으나 선원들의 마음을 돌려놓을 수는 없었다. 시인은 악기와 함께 스스로 바다로 뛰어내리겠으니 죽기 전에 마지막으로 연주를 할 수 있게 해달라고 부탁했다. 선원들은 그의 부탁을 들어주되, 그의 연주를 들으면 마음이 약해질까 봐 귀를 막기로 했다. 시인이 연주를 하자 음악소리에 맞추어 배가 덩실댔고 파도가 소리를 질렀으며 하늘에는 해와 별들이 동시에 나타났다. 그리고 푸른 물결 너머에 수천 마리의 물고기들과 바다괴물들이 춤을 추었다. 연주를 마친 후 시인은 악기를 끌어안고 바다에 뛰어내렸다. 그 순간 바다괴물이 나타나 그를 구해서 그가 가고자 했던 해안으로 데려다주었다. 해안에 도착한 시인은 잃어버린 보물들을 한탄하며 노래를 부르고 있었다. 그런데 잠시 뒤, 자신을 구해준 그 바다괴물이 나타나 보물들을 백사장에 뱉어냈다. 보물을 나누는 과정에서 선원들끼리 싸움이 벌어져 대부분 죽고 배가 침몰하자 바다괴물이 보물을 찾아 시인에게 되돌려주었던 것이다.[18]

이 동화에서 묘사된 시절은 시인이 예술을 통해서 자연과 인간을 제어할 수 있었던 태고의 시절이다. 자연과 인간을 제어한다는 것은 결코 종속적 지배관계를 말하는 것이 아니라 자연과 인간 그리고 예술과의 완벽한 친화적 조화관계가 형성되었던 신화시대, 황금시대를 의미한다. 낭만적 상상력은 이러한 잃어버린 낙원에 대한 끊임없는 회상이다. 하인리히가 시인으로서 걸어가야 할 길은 바로 상실된 낙원을 미래에 다시 되찾는 길이다. 그것이 푸른 꿈에 대한 동경으로 나타나며 마틸데와의 사랑으로 소설에서 구현되는 것이다.

상인들은 또다시 하인리히에게 그러한 예술의 효력을 가르쳐주기 위해서 아틀란티스 동화를 들려준다.

한 늙은 왕이 화려한 궁전에서 살고 있었다. 궁전에서는 항상 화려하고 재미있는 연회가 열렸으며 그곳은 그야말로 부족함이 없는 지상의 낙원이었다. 오래전에 왕비를 잃은 왕은 딸에 대한 사랑이 극진했으며 또한 시문학에 대한 특별한 열정을 가지고 있었다. 항상 시인들의 노래를 들으며 자란 공주의 영혼은 동경의 표현들로 가득 차 있었다. 공주는 그러한 예술이 구현된 혼 그 자체라고 생각되었을 정도로 완벽하고 찬란한 존재가 되었다. 그러나 그 나라에도 걱정거리가 생겼다. 가문에 대한 왕의 지나친 경외심과 왕이 너무 오만하다는 소문 때문에 감히 어느 누구도 공주에게 구혼을 하지 않는 것이었다.

그 나라에서 멀지 않은 한 외딴 장원에서 한 노인이 아들을 가르치면서 살고 있었다. 아들은 고상하고 우아한 외모와 투명한 눈빛을 가지고 있었으며 아버지의 가르침을 받아 자연의 힘들을 연구하는 데 몰두했다. 어느 날 공주가 혼자서 장원 근처 숲으로 갔다가 그곳에서 그 젊은이를 만난다. 젊은이는 아름답고 고귀한 그녀에게 매혹당했다. 자신의 신분을 밝히지 않은 공주는 다시 방문하겠다는 약조를 하고 그들과 작별했다. 노인과 아들은 혼란스러운 인간사에는 관심을 끊고 오로지 자연 속에서 살아갔다.

노인은 미지의 여인이 아들에게 깊은 인상을 주었으며 그들이 사랑하게 될 것이라고 예감했다. 공주 역시 그 젊은이에게 강한 인상을 받아 내면에 변화가 일어나기 시작했다. 공주는 화려한 궁전과 휘황찬란한 삶, 그리고 아버지에 대해서 낯선 감정을 느끼게 되었다. 그 젊은이는 숲 속 근처 그녀의 정원까지 그녀를 따라갔다가 돌아오는 길에 그녀의 목걸이에 달려 있던 보석을 주웠다. 그는 자신의 시를 적은 종이에 보석을 싸서 잘 보관해두었다가 나중에 그 미지의 여인에게 돌려주어야겠다고 생각했다.

한편 공주는 어머니로부터 물려받은 보석이 없어진 것을 알고 다음날 보석을 찾으러 숲 속으로 갔다. 젊은이와 공주는 다시 재회를 했다. 그들은 오래전부터 사랑하는 사이인 것처럼 느꼈으며 보석을 찾아준 젊은이에게 공주는 목걸이를 그의 목에 걸어주었다. 공주는 더 자주 그를 찾아갔으며 그들은 서로 마음을 주고받았다. 공주는 그에게 노래를 가르쳐주었고 그는 만물이 조화를 이루었던 태초의 세계 역사를 들려주었다.

어느 날 그녀를 데려다주던 길에 세찬 폭풍우가 몰아쳐 그들은 숲 속에서 길을 잃고 동굴에서 하룻밤을 지새우게 되었다. 공주는 자신의 신분을 밝히면서 아버지에 대해 몹시 걱정을 했다. 젊은이는 노인과 상의하여 공주를 그날부터 자기 집에 거처하도록 했다.

한편 공주가 실종되자 왕은 깊은 상심에 빠져 슬픈 나날을 보냈으며 온 나라가 비탄에 빠졌다. 그런데 이상야릇하게도 공주가 아직 살아 있으며 곧 신랑과 함께 돌아올 것이라는 소문이 온 나라에 퍼져 있었다.

공주가 실종된 지 일 년이 지난 어느 날 저녁, 궁정 사람들이 모두 정원에 모여 있었다. 한 젊은이가 류트를 손에 들고 아름다운 목소리로 노래를 부르기 시작했다. 그는 세상의 근원, 자연의 전지전능한 교감, 아주 먼 옛날의 황금시대와 그 시대를 다스렸던 시문학, 증오와 야만의 등장, 시문학과 그것과의 싸움, 시문학의 궁극적인 승리, 슬픔의 종말과 자연의 소생, 그리고 영원한 황금시대의 회귀에 대해서 노래했다. 모든 사람들은 황홀경에 빠졌고 모두들 천사가 지상에 내려온 것이라고 생각했다.

왕은 그 젊은이에게 소원이 있느냐고 물었다. 젊은이는 노래를 한 곡 더

부르고 나서 청을 말하겠노라고 하면서 다시 노래를 시작했다. 노래가 흐르는 동안 한 노인이 어여쁜 아기를 안고 얼굴에 베일을 쓴 여인과 함께 나타났다. 젊은이는 노래를 부르며 공주와 함께 아기와 자신을 받아줄 것을 청했다. 왕은 진정 어린 사랑으로 그들을 받아주었고 군중들은 환호했다. 그 이후로 그 나라는 매일매일 아름다운 축제의 날이 계속되었다. 전설의 나라 아틀란티스는 대홍수 때문에 사라졌다고 전해질 뿐 그 나라가 어떻게 되었는지 아무도 모른다.

이성적 카오스

이 동화는 젊은이와 공주와의 사랑을 통해서 자연과 시문학의 조화를 묘사하고 있다. 궁정 세계와 인간 세상으로부터 벗어나 오로지 자연과 더불어 살고 있는 노인과 젊은이는 순박한 존재로서 때묻지 않은 인간의 원초적인 유아적 자연 상태를 상징한다. 반면에 궁정에서 시문학을 통해서 정화된 공주의 순수한 마음은 예술 그 자체를 구현하고 있다. 그 둘은 상호 소통하며 보완적 관계를 갖는다. 공주는 젊은이에게 시문학을 가르치고 젊은이는 공주에게 자연을 가르친다. 둘의 결합으로 태어난 아기는 결국 아틀란티스라는 황금시대를 상징하면서 소설의 주인공 하인리히에게 예술의 위력을 가르치고 있다.

노발리스에게 상상력은 우리 인간을 현실의 질곡으로부터 해방시켜 더 높은 세계로 상승시키는 힘이다. 거기에는 사랑과 예술과 자연이 함께 작동하고 있다. 오랜 여행을 마치고 아우크스부르크에 도착한 하인리히는 그곳에서 클링조어라는 스승을 만나고 그의 딸 마틸데와 사랑에 빠진다. 우리는 젊은이와 공주의 이야기가 소설 속 주인공에게서도 그대로 일어날 것이라는 기대를 갖게 된다. 스승 클링조어는 하인리히에게 또다시 동화를 들려준다.

북극의 별나라에는 아르크투루스 왕과 그의 딸 프레이야가 살고 있다. 왕은 생명의 정령이요 프레이야는 평화를 상징한다. 그곳은 밤과 얼음으로 뒤덮여 있다. 그곳의 정원은 금속 나무들과 수정 식물들이 있었고 보석 꽃과 보석 열매들로 가득 차 있었다. 프레이야는 몸을 움직이지 못한 채 누워서 구원자를 기다리고 있다. 왕비 소피는 지혜의 상징으로서 지상에 내려가 있다. 이야기는 별나라의 어느 늙은 영웅이 창문 밖으로 칼을 내던지자 불꽃이 되어 지상에 떨어지는 것으로 시작된다.

지상에는 아버지, 어머니, 유모 기니스탄, 소년 에로스, 파벨, 서기, 소피가 살고 있다. 아버지는 감각을, 어머니는 마음을, 그들 사이에 태어난 에로스는 사랑을, 아버지의 연인이자 에로스의 유모인 기니스탄은 상상력을, 아버지와 기니스탄 사이에 태어난 파벨은 시문학을, 서기는 오성을, 소피는 지혜를 상징한다.

아버지가 뜰에서 우아한 모양의 쇠막대기를 주워 왔다. 그것은 북극의 별나라에서 늙은 영웅이 던진 칼의 조각이다. 기니스탄이 그 쇠막대기로 제 꼬리를 물어뜯는 뱀의 형상을 만들어 요람을 건드리자 소년 에로스가 깨어나 뛰어나왔다. 뱀은 에로스의 가슴속에 힘찬 열망을 불러일으켰으며 그는 빠르게 청년으로 자랐다. 소피는 에로스가 기니스탄과 여행을 떠나도록 지시했다. 그런데 기니스탄이 에로스를 유혹하지 않도록 어머니의 모습으로 변하여 떠나도록 했다. 기니스탄은 에로스를 자기 아버지인 달나라의 왕에게 데려갔다. 밀물, 썰물, 허리케인, 지진, 무지개, 소나기, 천둥, 번개, 구름, 아침과 저녁 등 활기를 띠기 시작한 자연의 힘들이 그들을 맞이했다.

왕은 기니스탄으로 하여금 에로스에게 자신의 보물창고를 구경시켜주도록 허락했다. 보물창고는 온갖 다채로움과 풍요로움으로 가득 찬 커다란 정원이었다. 온갖 것들이 섞여 이 세상에서 가장 아름다운 색깔이 만들어졌고 평원들과 먼 곳은 파란빛으로 수놓아져 있었다. 그러나 난파당한 배, 즐겁게 식사하는 사람들, 화산 폭발과 지진, 달콤하게 애무하는 연인 등 장면들이 교차하더니 갑자기 하늘과 땅이 대혼란에 빠져 온갖 공포가 터져나왔다. 유령의 군대가 사람들의 사지를 갈기갈기 찢었으며 생명의 자식들을 화형대의 화마가 삼켜버렸다.

그때 갑자기 시커먼 잿더미에서 연푸른 강물이 흘러나와 유령들의 무리를 삼켜버렸다. 하늘과 땅은 하나가 되어 달콤한 음악을 만들어내었다. 물위로 아름다운 무지개가 떴고 양쪽의 화려한 왕좌 가장 높은 곳에는 소피가 앉아 있었다. 그 옆에는 느릅나무 화환을 쓰고 오른손에 종려나무를 든 남자가 있었다. 그는 별나라의 왕 아르크투루스이리라. 떠다니는 꽃의 꽃받침 위에는 에로스가 누워 있었고 백합 잎사귀 위에는 어린 파벨이 하프 소리에 맞춰 이 세상에서 가장 아름다운 노래를 부르고 있었다. 에로스는 잠들어 있는 소녀 위로 몸을 구부렸고 소녀는 양팔로 그를 꼭 끌어안았다. 그 소녀는 프레이야이리라. 달나라의 장관을 구경한 후에 에로스는 기니스탄과 육욕적 쾌락에 빠져 유사 근친상간을 범한다.

한편 지상에서는 서기가 반란을 일으켜 권력을 장악하고 어머니와 아버지를 감금했다. 어린 파벨은 제단 뒤 비밀의 문을 통해 지하세계로 피신했다. 지하 동굴에서 파벨은 사다리를 타고 아르크투루스 왕의 방으로 들어갔다. 파벨은 왕으로부터 류트를 받아 음악을 연주하면서 얼음바다 위를 지치며 다녔고 얼음은 아름다운 소리를 냈다. 파벨은 해안가에서 어머니 기니스탄을 만난다. 그동안 기니스탄과 쾌락에 빠져 있던 에로스는 다시 청년에서 소년으로 변했고 몸에는 하얀 날개가 달려 있었다. 에로스는 기니스탄을 거들떠보지도 않았지만 이복남매인 파벨에게는 친절하게 대했다.

파벨은 다시 지상세계로 올라간다. 그곳은 완전히 폐허가 되었고 서기와 그 일당들은 어머니를 불에 태워 죽이고 있었다. 파벨은 독거미들로 하여금 그들을 물어뜯어 죽게 한 다음 독거미들을 데리고 다시 지하세계로 가서 여신들을 무찌른다.

동화는 이렇게 '아무 연관성이 없는 꿈의 형상'과도 같이 매우 복잡한 이야기로 얽혀 들어가고 있다. 마치 그것은 연관성이 없는 요소들이 끊임없이 실타래를 풀어헤치듯 혼란스럽게 이어지고 있다. 결국 천상계와 지상 그리고 지하세계를 오락가락하면서 파벨이 북극의 얼어 있는 별나라를 구원하고 에로스로 하여금 공주 프레이야를 불타는 키스로 깨우게 한다는 이야기이다. 아르크투루스와 소피는 에로스와 프레이야를 새로운

낭만적 상상력은 어떻게
카오스에서 질서를 창조하는가?

왕과 왕비로 추대하고 달의 왕은 지상의 총독으로 임명된다. 동화는 파벨의 노래로 끝난다.

"영원의 왕국은 세워졌네/사랑과 평화 속에 싸움은 끝나고/고통의 긴 꿈도 이젠 끝났다네/소피는 모든 마음의 영원한 사제라네."

소설에서의 하인리히와 마틸데, 아틀란티스 동화에서의 공주와 젊은이, 클링조어 동화에서의 에로스와 프레이야는 모두 평행선상에 있다. 소설과 동화는 서로를 비추는 거울이 되어 결국 하나로 통합된다. 노발리스의 상상력이 추구하는 것은 융합적인 상상력이다. 하늘과 땅을, 어둠과 빛을, 과거와 미래를, 시문학과 자연을 하나로 통합시키는 네트워크 상상력이다. 노발리스가 철학, 문학, 광산학, 물리, 화학, 의학, 천문학 등 여러 분야를 공부했다는 사실도 우연이 아닐 것이다.

계몽주의자들은 태초의 세상을 질서로 파악한 반면에 낭만주의자들은 세계를 카오스로 이해했다. 클링조어 동화는 자연, 인간, 천상, 지상, 지하 등의 다양한 현상들이 얽혀 카오스의 교향곡을 들려주는 듯하다. 시인은 상상력을 가지고 카오스의 세계를 창조한다. 그러나 노발리스의 상상력은 카오스를 연출하는 것으로 끝나지 않고 현상들의 대립이 하나의 조화로운 세계로 구성되는 또 하나의 다른 질서를 창조한다. 노발리스가 말한 '이성적 카오스'가 바로 그것을 의미하고 있는 것이다.

상상력을 상징하는 기니스탄이 에로스를 달나라로 데려가서 보여준 풍경들에서 조화와 분열 그리고 다시 찾은 조화라는 역사 발전의 3단계 원칙이 그대로 표현되고 있지 않은가. 상상력은 과거의 유토피아를 미래에서 복구하려는 시간여행이다. 그래서 소설 속의 하인리히는 여행을 하는 것이며 그 여행에서 소설과 동화가, 현실과 환상이 하나가 되는 것이다. 노발리스는 그의 '이성적 카오스'로서의 상상력을 가지고 시공간을 뛰어넘어 내면의 세계, 주관의 세계로 여행하는 현대적 상상력을 선취하고 있다.

상상하는 인간
아웃사이더가 되다

창조주가 되고 싶은 인간

노발리스가 꿈꾼 새로운 황금시대는 과연 도래할 것인가? 그러한 유토피아가 실현될 미래는 우리에게 영원히 오고 있는 과정이고 그래서 그것을 믿는 인간은 행복할 수 있는 것일까? 그리고 우리 인간이 상상력을 통해서 제2의 신의 경지, 즉 창조자의 위치에 있다고 해서 우리의 모든 문제들이 해결될 수 있는 것일까?

역사는 우리에게 그렇지 않음을 가르쳐주고 있다. 그렇지 않기에 영원히 상상하는 인간 호모이마기난스는 어쩌면 우리의 운명인지도 모른다. 유한자인 인간이 영원히 무한을 동경하는 한 우리는 상상하는 인간이 될 수밖에 없기 때문이다. 어쩌면 상상력은 노발리스가 동경한 새로운 황금시대가 영원히 오지 않을 것이라는 우리 인간의 예감의 표현일 수 있다.

세계의 많은 문화권의 동화가 대부분 흉년, 가난과 배고픔, 생식불능 등 결핍 상황으로부터 시작되고 있는 것은 무엇을 말하는 것일까? 그리고 그러한 결핍이 동화의 결말에서는 잘먹고 잘살게 되었다거나 무명의 젊은이가 그 나라의 공주와 결혼하여 결국 해소되거나 극복되고 있는 것은 무엇을 말하는 것일까? 전해 내려오는 동화의 근본 구조는 결핍과 충족이며 그 과정에는 결핍을 해소하려는 욕망과 그 욕망을 구현하려는 상상력이 놓여 있다. 노발리스의 상상력도 결코 예외가 아니다.

욕망과 상상력은 가히 인류 문명사의 추동력이라고 할 수 있다. 인간은 끊임없이 욕망 충족의 꿈을 꾸면서 그것을 문학과 예술로 표현했으며 또한 욕망의 실현을 위하여 도구를 발명함으로써 오늘날의 첨단 기술문명을 이루어왔다. 욕망과 상상력과 테크놀로지는 인류문명사의 거시적인 관점에서 일직선상에 놓여 있다. 다만 그것들의 관계가 역사적으로 반목과 융합을 반복해왔을 뿐이다.

인간의 욕망 중에서도 가장 원초적이며 오래된 욕망이 창조의 욕망이다. 인간 자신이 창조의 산물이기 때문이다. 그것이 신의 창조이건 또 다른 초자연적 창조이건 상관없이 말이다. 그 욕망은 인간 자신의 태생의 문제와 원초적으로 연관되어 있기 때문에 인간은 끊임없이 창조주가 되려는 욕망을 잠재적으로 가지고 있는 것이다. 그러기에 호머 사피엔스나 호머 파베르가 있기 전에 호모이마기난스가 있었을 것이다. 이 경우 물론 모방이 창조의 전제임을 잊지 말아야 한다. 인간은 창조주 신을 모방하고 싶은 것이다.

피조물인 인간이 창조자의 위치로 상승하려는 욕망은 데카르트가 정의한 사유하는 인간으로서의 근대적 인간의 정의에서 시작된다. 인간이 기존의 전통과 도그마로부터 벗어나 주체적으로 되기 시작하면서 인간의 위치는 창조자로 부상할 수 있게 되는 것이다. "스스로에게 책임이 있는 미성년 상태로부터의 해방"이라는 계몽에 대한 칸트의 정의에서도 잘 드러나듯이 해방된 주체는 마치 신처럼 세계의 모델을 직접 만드는 일에 집중하게 된다.

이미 르네상스 후기에 '시인은 제2의 신'이라는 생각이 나타나기 시작했으며 이러한 생각은 낭만주의에서 정점에 이르렀다. 낭만주의는 판타지를 유일한 인식도구로 내세우면서 현실에 토대하지 않는 인공의 세계를 창조하는 작업이다. 그것은 오늘날 디지털에 기반한 가상현실을 구축하는 것과도 유사하다.

17, 18세기 유럽에서 유행되었던 자동인형 또는 인조인간 제작에서 우리는 창조자 인간의 모습을 확인할 수 있다. 1738년 파리의 인형 제작자 보캉송은 태엽장치를 이용하여 플루트를 연주하는 인형을 만들었으며 1760년 스위스의 자케드로 부자는 오르간을 연주하는 자동인형을 제작했다. 또한 1769년 켐펠은 체스를 두는 인형을 만들기도 했다. 기계의 원형이라고 할 수 있는 바퀴와 태엽장치를 발명함으로써 인간은 인간의 형상대로 자동인형을 만들어 악기를 연주하게 하고, 사람과 체스를 두게 했던 것이다.

이를 통해서 신적인 힘, 초자연적인 힘이 테크놀로지로 대치되기 시작한다. 물론 테크놀로지 이전에는 과학 이전의 과학적 담론이라고 할 수 있는 연금술과 마술이 그 기능을 수행했다. 이제 신의 경지에 오른 호모이마기난스의 운명은 완벽한 상상력의 자유를 누리는 해방된 인간일까?

모래귀신에 대한 트라우마

1815년에 발표된 독일 문호 호프만의 작품 《모래귀신》은 상상하는 인간의 비극적 운명을 그리고 있다. 《모래귀신》은 잠자리에 들지 않으려는 아이들의 눈에 모래를 뿌리고 피투성이가 되어 튀어나온 눈을 자루에 넣어 달나라에 가서 자기 자식들에게 먹이로 준다는 모래귀신에 관한 전래동화이다. 어릴 적 유난히도 환상적인 이야기를 좋아했던 주인공 나타나엘은 이 끔찍하고 잔인한 동화로 인해 일종의 트라우마를 갖게 된다.

나타나엘은 모래귀신이 온다는 것이 아이들이 졸음이 와서 눈에 모래가 들어간 것처럼 눈을 제대로 뜰 수 없다는 것을 의미한다는 어머니의 이성적 해석을 받아들이지 못한다. 푸른 나비를 쫓아다니는 돈 실비오처럼 나타나엘 역시 동화를 동화로 생각하지 못하고 동화 속의 기이한 이야기를 자꾸 현실로 착각하려는 몽상가적 경향을 가지고 있었다. 더구나 나타나엘의 아버지는 저녁 식사 후 아이들에게 파이프 담배가 꺼진 줄도 모르고 기이한 이야기들을 들려주곤 했다.

매일 밤 9시경 나타나엘은 잠자리에 들어야 할 시간이면 뚜벅뚜벅 계단을 걸어오는 발걸음 소리를 듣는다. 그는 누군가 아버지의 방에 들어가는 것이라고 추정한다. 그는 한 번도 그 발걸음 소리의 주인공을 본 적이 없다. 어머니는 그 소리가 들리면 잠자리에 들어야 한다고 강요했기 때문이다. 나타나엘은 그를 모래귀신이라고 상상한다. 그는 모래귀신을 절대 보아서는 안 된다는 금기를 강요당했던 것이다. 이러한 시각적 금기가 그를 현실에 기초한 미메시스적 인간보다는 상상하는 인간형으로 만들었다.

어느 날 밤 나타나엘은 아버지의 방에 숨어들어 가 모래귀신을 목격한다. 모래귀신은 이웃집 변호사 아저씨 코펠리우스였으며, 그는 밤마다 아버지와 함께 연금술 실험을 하고 있었던 것이다. 그들은 인조인간을 만들고 있었는데 마지막으로 인조인간의 눈을 제작하기 위해 온갖 실험을 하고 있었다. 어린 나타나엘의 내면에 각인된 모래귀신과 그를 보아서는 안 된다는 시각적 금기 그리고 눈을 빼앗길지도 모른다는 그의 트라우마가 결국 그를 몽상적 낭만주의자로 만들었으며 비극적 결말로 이끄는 계기가 되었다. 아버지는 연금술 실험 중에 폭발 사건으로 목숨을 잃었고 코펠리우스는 어디론가 사라졌다.

대학생이 된 나타나엘은 이웃 도시에 유학을 갔다. 어느 날 갑자기 안경 장수 코폴라가 나타나고 모래귀신-코펠리우스 악몽이 되살아난다. 나타나엘은 코폴라가 변호사 코펠리우스라고 단정한다. 나타나엘의 애인 클라라는 이러한 생각을 용인하지 못한다. 시민사회의 규범에 얽매인 이성적인 인간형인 그녀는 어린 시절 나타나엘의 악몽을 논리적이고 과학적으로만 해석하고 있다. 즉 아버지의 죽음을 화학실험에서 흔히 있을 수 있는 폭발로 설명하고 코펠리우스가 거기에 아무런 책임이 없다고 주장하고 나선다. 나타나엘과 클라라의 대립은 곧 상상하는 인간과 이성적으로 사유하는 계몽주의적 인간 사이의 대립이다.

오늘날 과학적 세계관을 가져온 계몽주의는 신적인 빛을 인간 이성의 빛으로 대치시켜 놓은 것 외에 다른 것이 아니다. 그래서 우리는 계몽주의를 일명 '빛의 세기'라고도 부른다. 신적인 빛은 종교적 믿음에 근거하는 것으로서 외부에서 오는 것이며 이성의 빛은 지식에 바탕을 두고 있는 것으로 인간 내면에서 인간 스스로에 의해 점화되는 것이다. 계몽주의의 과학정신은 믿음의 세계를 어둠의 세계로 생각하며 자신들이 암흑의 세계를 이성과 지식으로 밝혔다고 생각한다. 그래서 계몽주의자들은 망상이나 환상에 사로잡힌 사람, 놀고먹는 동화의 나라나 행복한 이상향을 꿈꾸는 사람을 그들의 적으로 선포한다.

그러나 계몽주의자들이 생각하는 것처럼 세계는 늘 그렇게 밝은 것만은 아니다. 밝음이 있기 위해서는 어둠이 있어야 하며 오히려 어둠 속에 가려 있는 보이지 않는 진리들이 세상을 밝힐 수도 있는 것이다. 그리하여 확실한 개념 대신에 판타지와 꿈을 유일한 인지기관으로 가지고 있는 상상하는 인간 낭만주의자는 오히려 어두운 밤의 세계 속에서 행복하다. 이성의 빛은 현상들을 보이게 만들지만 그 자신을 보이지는 않는다. 그러므로 보이지 않는 이성의 빛이 어떤 의미에서는 어둠이라는 역설이 성립된다. 여기에 바로 절대적 이성의 빛의 한계가 시작되는 것이다.

어둠 속의 호모 이마기난스

계몽의 빛이 밝혀준 세계는 자아와 사회의 합의에 기초한 질서와 인식의 세계로서 그것은 명랑함과 웃음이 넘치는 시민사회이다. 그에 반해 계몽의 적인 낭만적 상상의 세계는 혼돈과 분열, 신비와 마적인 탈시민적 세계이다. 세계사는 이러한 빛과 어둠, 계몽과 낭만, 이성과 상상력의 명암 교차였으며 과학과 예술의 역동적 상호작용이었던 것이다.

호프만이 제시해주고 있는 상상하는 인간 나타나엘은 바로 이 두 개의 세계 사이에서 갈등과 분열을 경험하고 있는 아웃사이더의 인간상을 보여준다. 안경 장수 코폴라의 출현으로 '끔찍한 운명의 어두운 예감들'에 휩싸여 있는 상상하는 인간 나타나엘은 밝고 명랑한 클라라의 세계로부터 멀어질 수밖에 없다. 그리하여 그는 마적인 어둠의 세계에서 자신의 상상에만 기대어 살 수밖에 없는 것이다. 그 옛날 어린 시절 연금술 실험을 하고 있던 코펠리우스와 아버지의 악마와도 같은 모습이 그의 뇌리를 떠나지 않는다.

코펠리우스에 대한 나타나엘의 원체험은 빛의 상실과 어둠의 체험이었다. 나타나엘이 겪는 갈등은 낮의 세계, 즉 시민사회에 안주하지 못하고 거기에서 이탈될 수밖에 없는 아웃사이더적 운명에서 유래한다. 그리하여 그는 빛이 소멸된 밤의 세계에서 스스로 자아를 구축해가는 상상하는 인간이 되었다.

밤의 세계에서는 꿈과 예감이 인식의 법칙이다. 그것이 과학적 진리의 확실성을 대치하고 있다. 어두운 세계에는 낮의 세계를 지배하고 있는 인과율과는 다른 법칙이 지배하고 있다. 낮의 세계에 속한 인물들이 불가사의하고 비논리적이라고 생각하는 것이 밤의 세계에서는 가장 확실한 진리가 된다. 그리하여 상상하는 인간 나타나엘은 자신의 비극적 죽음의 운명을 스스로 만들어가고 있는 예술가가 되는 것이다.

자신의 어둠의 세계를 일상적 인간 클라라로부터 이해받지 못하자 나타나엘의 상상은 예술의 세계로 자신을 투사하기 시작한다. 자신의 삶이 그대로 자신의 예술이 되는 것이다. 그는 자기 자신의 운명 외의 어떤 것도 문학의 소재로 삼지 못한다. 그래서 나타나엘은 시민사회에서 어떠한 독자도 발견할 수 없다. 자기의 애인 클라라마저 자신의 문학을 이해해주지 못한다. 나타나엘이 자신과 클라라를 주인공으로 하면서 비극적 결말을 미리 그려주고 있는 작품을 썼을 때 클라라는 나타나엘의 작품을 "말도 안 되는 미치광스러운 동화"라고 평가하고, 나타나엘은 자기 문학을 조금도 이해해주지 않는 클라라를 "생명 없는 망할 놈의 자동인형"이라고 욕한다. 그래서 그들은 결별할 수밖에 없다.

자 동 인 형 과 사 랑 에 빠 지 다

클라라로부터 멀어져가는 나타나엘은 어느 날 코폴라에게서 구입한 망원경을 통해 앞집 여인을 관찰하게 된다. 그는 그녀를 '천국의 아름다운 여자'로 인식한다. 그녀는 물리학 교수 스팔란차니 교수의 딸 올림피아인데 실제로는 스팔란차니 교수가 만든 자동인형이다. 낭만적 예술가 나타나엘은 기계인간에 생명을 부여하는 신적인 경지에 이른다.

처음에 올림피아의 눈은 경직되고 죽어 있었다. 그러나 그가 망원경을 통해서 그녀를 계속 응시했을 때 올림피아의 눈 속에 촉촉한 달빛이 떠오르는 것 같았으며 시력이 점화되는 것 같았다. 그녀의 시선은 점점 더 활기 있게 타올랐다.[19]

기계인간에 시력을 부여하는 것으로 형상화되는 나타나엘의 올림피아에 대한 사랑에서, 나타나엘은 어린 시절에 억압으로 각인되어 있었던 시각적 금기를 보상받는다. 그리고 시민적 애인 클라라에게서 이해받지 못한 자신의 상상적 존재를 생명이 없는 올림피아에게서 완전히 인정받게 된다. 나타나엘은 피그말리온의 후예이다. 그리고 올림피아는 그의 아바타이다. 나타나엘은 영화를 연출하는 감독처럼 자신의 상상을 기계인형 올림피아에게 투사한다.

시각적 도구인 망원경을 통해 중재된 그의 환상은 오늘날의 스크린으로 볼 수 있다. 눈 콤플렉스를 가진 나타나엘은 스스로 환상과 망상이라는 스크린을 만들어 자기가 상상한 사물의 모습을 그 스크린 위에 영사한 것이다. 현실에서의 시각은 사물에 의해 작동되는 것이기에 자신이 보고자 하는 것을 볼 수 없다. 자기가 보고자 하는 것을 보려는 욕구, 그것은 오랫동안 억눌린 욕구일 수도 있다. 일상적 시각에 의해 부가된 보는 관습 때문에 억눌린 욕구인 것이다. 우리는 사물을 보고 인식하는 과정에서 이미 주어진 틀을 따르도록 되어 있다. 나타나엘은 그러한 관습적 보기에서 벗어나 자신의 환상이라는 스크린 위에 기계인간 올림피아와의 사랑이라는 자신의 영화를 만들고 있었던 것이다.

그러나 이러한 사랑은 자신의 세계밖에 모르는 상상하는 인간의 비극일 뿐이다. 그의 올림피아에 대한 사랑은 나르시스적 자기사랑에 불과하기 때문이다. 기계인형에 대한 사랑은 자아의 절대화요 상상력의 투사요 또한 예술가의 현실로부터의 완전 소외일 뿐이다. 나타나엘은 올림피아가 내는 '아하 아하'라는 기계음을 정신적 사랑과 인식으로 가득 찬 내면세계를 상징하는 것으로 착각한다. 결국 나타나엘은 오로지 올림피아에게서만이 자신의 작품을 가장 완벽하게 이해해줄 가장 이상적인 독자를 발견하며, 마침내 자신과 기계인간 올림피아를 완전 동일시하게 된다. 나타나엘은 자기 자신의 작품을 그의 내면 깊은 곳에서 올림피아가 낭독하는 것으로 착각하기에 이른다.

여기에서 흥미로운 것은 계몽과 과학의 산물인 기계인간 올림피아에게서만 낭만적으로 상상하는 인간 예술가 나타나엘의 완전한 자기실현이

가능하다는 아이러니이다. 계몽주의의 자연과학적 사고는 인간을 기계와 유추시키는 생각을 확산시켰고 그리하여 당시 자동인형 제작이 대유행한 것이다. 호프만도 거기에 지대한 관심을 갖고 있었다. 자동인형을 만든다는 것은 생명과 정신을 기술적으로 설명할 수 있다는 물질주의에 사로잡힌 인간의 오만이다. 그러한 과학의 산물인 기계인간이 곧 자신의 내면만을 추구하면서 완전히 상상의 세계에 빠진 낭만주의 예술가와 동일하다는 사실은 오늘날 인간과 기계가 결합되어가는 포스트 휴먼시대를 위해 많은 시사점을 던져주고 있다.

호프만은 나타나엘과 올림피아와의 사랑을 통해서 계몽과 낭만이, 이성과 상상력이, 과학과 예술이 서로 상통하고 있으며 그것은 동전의 양면일 수 있다는 메시지를 전하고 있다. 다시 말해 낭만적 자아의 절대화는 곧 자아의 상실이요, 예술적 상상력의 자율성은, 곧 기계의 자동성과도 통한다는 호프만의 인식이다.

기계인간 올림피아가 계몽주의적 합리주의와 기계주의를 의인화하고 있는가 하면, 그것이 또한 나타나엘의 나르시스적인 자기 투사의 대상으로 기능하고 있다는 점에서 그렇다. 그래서 나타나엘이 올림피아가 한갓 기계인간에 불과하다는 사실을 알았을 때 그는 존재의 근거를 상실해버리고 광기에 빠져 정신병원에 수감되기에 이른다. 나타나엘이 환자로서 정신병원에 수감되는 것은 상상하는 인간이 시민사회로부터 완전히 축출되는 것을 의미한다. 나타나엘의 광기는 근대적 주체가 자신이 만들어낸 이성적 담론에 의해 완전히 배제되는 것을 말하고 있다. 상상하는 인간 나타나엘은 시민사회와의 화해를 거부하는 영원한 아웃사이더의 운명을 택한 것이다.

상 상 하 는   인 간 의   두   얼 굴

광기에서 회복되어 어머니와 클라라의 품으로 돌아온 나타나엘은 잠시 동안 시민사회에 동화되는 듯하다. 그는 클라라와의 결혼을 앞두고 있으며 클라라가 추구하는 결혼과 행복이라는 시민적 가치들을 받아들이는 듯하다. 그러나 그것은 잠정적인 화해일 뿐 그는 또다시 시민사회를 떠날 수밖에 없다. 멀리서 코펠리우스-코폴라가 다가오는 것을 보고 그는 시청 탑 꼭대기에서 뛰어내려 자살하고 만다.

나타나엘의 죽음이 우리에게 남긴 유산은 무엇인가? 그의 광기와 죽음은 계몽과 낭만이, 과학과 예술이, 이성과 상상력이 서로 다른 것임을 인식하지 못한 데 있다. 그것은 곧 내면적 주체와 외면의 객관세계가 구분되어 있다는 근대적 의식의 부정이기도 하다. 호프만은 노발리스처럼 총체적 화해와 조화에 대한 동경을 보여주지 않고 단지 계몽과 낭만의 화해 불가능성을 첨예하게 노출시키고 있다. 그것은 곧 계몽과 낭만의 해소될 수 없는 모순성, 즉 계몽과 반계몽의 변증법이다. 이성을 토대로 한 근대적 인간이 상상력의 해방을 위한 전제이면서 동시에 상상력을 억압하는 기제로 작동했다는 모순성이다.

계몽주의가 내세운 이성은 처음부터 모순을 안고 태동했다. 18세기 〈원숭이 우화〉가 그것을 잘 말해주고 있다.

원숭이 한 마리가 밤에 삼나무 숲에 불을 질렀다. 그리고 그곳이 밝게 환해지는 것을 보고 몹시 기뻐했다. 그는 외쳤다. "형제들아, 와서 보아라. 내가 무엇을 할 수 있는지를. 내가, 내가 밤을 낮으로 바꾸고 있다!"[20] 다른 원숭이 형제들이 와서 그 광채를 보고 경탄했다. 모두가 소리치기 시작했다. "한스 형 만세! 원숭이 한스는 후세에 남을 거야. 그가 이 지역을 계몽시켰으니." 원숭이 한스는 여기에서 어둠을 밝히는 계몽의 화신으로 나타나고 있다.

그는 동시에 데카르트의 "나는 생각한다. 고로 존재한다"가 제기하고 있는 인간 주체의 역할을 고양시키면서 신과 같은 창조자로 등장하고 있다. 그러나 그에 의해 밝혀진 빛은 숲을 태우는 파괴의 빛이다. 계몽은 곧 반계몽으로 전도되는 것이다. 이성이 상상력을 가능하게 한 토대이면서 동시에 상상력을 억압하는 기제가 되었다는 모순은 이러한 계몽이 원초적으로 안고 있는 모순과 직결되어 있다.

상상하는 인간 나타나엘은 이러한 계몽과 반계몽의 영원히 풀릴 수 없는 모순관계의 희생양이다. 나타나엘의 죽음은 현실과 이상, 내면세계와 외면세계, 주관과 객관 사이에서 끊임없이 갈등하고 있는 현대인의 원체험이다.

인간이 스스로 만든 기술을 통해서 창조자의 위치로 오르려는 시도는 오늘날 첨단 테크놀로지를 통해서 더욱더 명확하게 드러나고 있다. 신이 자기의 형상대로 인간을 만들었다면 오늘날의 인간은 인공지능을 통해서 인간의 사고와 감정까지도 처리할 수 있는 로봇을 만들려고 한다.

상상하는 인간 나타나엘은
왜 영원한 아웃사이더의 운명을 택했을까?

  영국의 케빈 워릭은 자신의 몸속에 기계를 넣어 스스로 사이보그가 되
어버린다.[21] 인간과 기계의 결합은 인간의 진화와 함께 로봇의 진화를 생
각하게 만든다. 나노기술의 발달은 물질의 재조합을 통해서 모든 것을 가
능하게 함으로써 인간을 창조자의 반열에 올려놓고 있다. 21세기 생물학
의 세기에 이르러, 인간 자신이 유전자 조작을 통해서 생명을 기술적으로
변형, 조작, 생성시키는 단계에 이르렀다. 그럼에도 진정 인간은 신과 같
은 창조자가 될 수 있는 것인가? 아니면 신적인 것을 향한 영원한 욕망만
을 추구하고 있는 것인가?

  나타나엘의 죽음이 그 답이다. 상상력의 천재이면서 동시에 기계적인
인간일 수밖에 없었던 그의 운명 말이다. 자율성, 창의성, 자기 생식성을
특징으로 하고 있는 인간적인 것과 반복성, 규칙성, 자동성을 속성으로 하
고 있는 기계적인 것이 확연히 구분되면서도 동시에 서로를 침투한 역사
가 곧 인류의 문명사이다. 창조자로서의 인간은 두 개의 얼굴을 가지고 있
다. 자신이 만들어낸 각종 기제들에 통제당하고 예속되는 자동인형 같은
존재를 영위하고 있는 우리는 분명 나타나엘의 후예이다.

나는 상상한다,
고로 존재한다

융합의 시대

상상하는 인간 나타나엘이 자신을 기계인간 올림피아와 동일시했다는 점에서 우리는 나타나엘의 죽음이 우리에게 남긴 또 하나의 유산에 주목한다. 그것은 이성과 상상력이, 과학과 예술이 결국 하나로 착종되어 있다는 인식이다. 나타나엘의 상상력을 자극시켰던 안경 장수 코폴라는 광학기계를 다루는 기술자였으며 자동인형 올림피아의 아버지 스팔란차니는 물리학 교수로서 과학을 대변하고 있는 인물이었다.

이러한 과학과 기술이 나타나엘의 상상력을 구성해주는 결정적인 요소였던 것이다. 상반되면서도 동시에 내통하고 있는 인류 문명사의 두 개의 축, 이성과 상상, 계몽과 낭만은 오늘날 디지털 문명사회에서 그 반목과 대립의 역사를 청산하고 통합의 양상을 보여주기 시작했다. 그동안 상반된 것으로 여겨졌던 두 개의 대립쌍이 이제 테크놀로지와 상상력 또는 기계와 인간이라는 새로운 변형으로 나타나면서 두 개의 축이 수렴되고 있다. 이것이 바로 오늘날 인구에 회자되고 있는 소위 융합의 시대를 열고 있는 것이다.

융합의 시대에 대한 문명사적 배경은 여러 관점에서 설명될 수 있겠으나 내 소견으로는 무엇보다도 인간의 상상력을 테크놀로지가 곧바로 구현해줄 수 있는 단계에 와 있기 때문이라고 본다. 빌딩 벽을 자유자재로 오를 수 있는 스파이더맨의 거미줄이 과학적으로 가능하다고 하지 않는가? 〈해리 포터〉의 투명 망토 역시 기술적으로 가능하다고 하지 않는가? 과학자들은 심지어 순간이동까지도 구현하기 위해 연구를 하고 있다고 하지 않는가? 디지털 문명시대는 상상력과 테크놀로지의 간극이 점차 좁혀지고 있으며, 이것이 그동안 상반된다고 생각했던 이질적인 요소들을 융합시키고 있는 것이다.

상상력의 축에 인간, 감성, 소프트웨어, 따뜻함, 자연, 아날로그, 예술 등의 키워드들이 속한다면, 테크놀로지의 축에는 기계, 이성, 하드웨어, 차가움, 문명, 디지털, 과학 등의 키워드들이 속한다. 그런데 두 개의 큰 축이 수렴됨으로써, 이러한 상반된 키워드들이 서로 연결되고 있다. 오늘날 융합이라고 하는 세계정신은 바로 이런 두 축의 수렴으로부터 나온 현상이다.

앞으로의 미래사회는 이질적인 것이 네트워킹될 수밖에 없는 방향으로 나아갈 것이 분명하다. 이성과 감성이, 기계와 인간이, 자연과 문명이, 차가움과 따뜻함이, 하드웨어와 소프트웨어가, 과학과 예술이 만날 수밖에 없는 것이다. 이러한 융합현상은 오늘날에 시작된 것은 아니다.

북미의 서컴 카리브해(Circum-Caribbean) 지역에 사는 원주민들 사이에는 벽을 통과해서 날아 들어와 다시 반대편 벽으로 날아가는 이상한 능력을 가진 동물에 대한 이야기가 전해지고 있었다. 그들은 이 고체 물체를 통과하는 동물을 벽을 뚫는 작은 악마라고 믿었다.

1950년대에 도널드 그리피스란 학자가 그 지역에 가서 이 동물을 연구하기 시작했다. 그리피스는 이 동물이 바니안나무의 중앙을 관통하는 것을 우연히 본 뒤 이 동물이 아주 작은 하얀 박쥐라는 것을 알아냈다. 일반적인 박쥐는 주위 환경을 감지하기 위해 앞뒤로 날아다니면서 이런 음파를 내뿜고 박쥐의 매우 민감한 귀가 물체로부터 반사된 음파를 감지하면서 자신 주변에 대한 '레이더(radar)' 이미지를 계속해서 업데이트하는 반면에, 이 하얀 박쥐는 전형적인 음파 대신에 극단 자외선(extreme ultraviolet)을 포함하는 전자기파를 쏘아 주파수를 증가시켜 X레이까지 근접하여 결국은 아무런 상처 없이 고체를 통과할 수 있다는 가설을 세워서 그 동물에 대한 논란을 잠재웠다고 한다. 작은 악마에 대한 상상력과 자외선을 쏘는 하얀 박쥐임을 설명하는 과학은 똑같은 자연현상에 대한 각기 다른 이름일 뿐이다.

통섭, 퓨전, 경계 넘기, 크로스오버라고 지칭되는 문화적 현상으로서의 융합은 오래전부터 인터(inter)와 트랜스(trans)라는 접두어가 붙은 단어들이 유행된 데에서도 잘 드러나고 있다. 한때 문학을 연구하는 사람들 사이에서 유행되었던 상호 텍스트성(intertextuality)이란 개념은 하나의 텍스트가 다른 텍스트와 관계를 맺으면서 전혀 다른 새로운 의미를 창출하는 것을 말한다. 그것은 한 텍스트가 다른 텍스트를 인용, 패러디, 풍자하는 것 등으로 나타난다. 어떤 사람들은 상호 텍스트성을 문학, 영화, TV, 뮤지컬, 오페라 등 전 매체로 확장시켜서 매체를 넘나들며 상호 연관을 맺는 것을 상호 매체성(intermediality)이라고 지칭한다. 이것은 하나의 이야기가 여러 매체에서 각기 다르게 가공되어 활용된다는 OSMU(one source multi use)의 원칙과도 통한다.

그러나 많은 학자들은 인터 대신 트랜스라는 접두어를 선호하여 인터 텍스트성(intertextuality) 대신에 트랜스 텍스트성(transtextuality)을, 인터 매체성

(intermediality) 대신에 트랜스 매체성(transmediality)을 얘기하고 있다. 인터가 서로 다른 이질적인 것의 단순한 관계 맺기라면 트랜스는 관계 맺기를 넘어서 서로 결합하여 화학작용을 일으켜 전혀 다른 것으로 변화되는 것을 의미한다.

가장 확실한 보기는 남성이 여성으로 되는 트랜스젠더이다. 오래전부터 우리는 인터와 트랜스의 시대를 살고 있다. 융합의 열풍은 이러한 인터와 트랜스의 문화로부터 유래한다. 이러한 트랜스의 문화가 나오게 된 배경은 여러 관점에서 설명될 수 있다.

분화에서 통합으로

인류의 역사는 자연을 정복해온 역사이다. 자연을 정복하기 위해서 인간은 자연을 철저하게 분석하고 설명하면서 과학과 기술을 발전시켜 나갔다. 중세 시대 대학이 처음으로 건립되었을 때 학문 분과는 철학과 신학만 있었다. 인간과 신을 연구하는 것에 모든 것이 통합되어 있었던 것이다. 그러던 것이 자연을 연구하면서 자연의 법칙을 설명하기 위해 물리학과 수학이 나왔고 물질의 성질을 설명하기 위해 화학이 발전했다. 또한 생명체의 현상을 연구하여 생물학도 탄생되었다. 근대를 거치면서 인류는 수많은 새로운 학문들을 만들어왔다. 사람의 마음을 연구하는 심리학, 사회현상을 연구하는 사회학이 대두되고 세계와 인간을 둘러싼 연구 활동이 다양한 학문 분과로 세분화되면서 오늘날의 학문 체제를 만들어온 것이다.

그러나 오늘날 파생되고 있는 여러 가지 사회적·문화적·과학적 현상들은 전문적인 하나의 분과 학문으로는 더 이상 파악할 수 없을 정도로 복잡하게 얽히게 되었다. 그리하여 인문학과 자연과학이, 예술과 공학이, 언어학과 심리학이, 사회학과 물리학이, 경영학과 문화학이 서로 만날 수밖에 없는 상황에 이른 것이다. 더구나 첨단 디지털 기술의 발달은 사회의 모든 분야들을 네트워크 시키고 있어 학문 간 관계 맺기를 하지 않을 수 없는 상황이 되고 말았다. 그래서 학제 간 연구니 초학제적 연구니 하는 바람이 불 수밖에 없었던 것이며 트랜스 시대를 촉진한 것이다.

　학문 간 경계 해체는 이러한 맥락에서 나온 것이며 이러한 트랜스 문화는 전 사회적으로 확장되어 가고 있는 추세이다. 로봇 연구에 인문학자가 참여한다든가, 예술작품의 생산에 컴퓨터 과학자가 함께 참여하는 네트워크 문화현상이 전 사회적으로 활성화되어 가고 있는 것도 이러한 맥락에서이다.

　디지털 사회는 분화의 문화가 통하지 않으며 오로지 통합의 문화만이 유효하다. 더 이상 학문 간, 사회 영역 간 구분은 무의미한 시대가 오고 있다. 융합의 열풍은 우리가 필연적으로 거쳐야 할 인류 문명사의 한 단계이다. 모든 것을 모든 것과 연결시키는 컴퓨터가 만들어낸 세상에서는 연결되어 있어야 존재의 가치가 있게 된다. ‘나는 접속되어 있다. 고로 존재한다’는 새로운 인간존재론이 대두될 정도이다. 모든 것의 연결이라는 생각의 배후에는 모든 것이 고정성을 탈피하고 액체처럼 흘러가야 한다는 디지털적 사고가 깔려 있다.

그림 9 조반니 다 볼로냐, **헤르메스**, 1580.

네 트 워 크 의 신 헤 르 메 스 의 도 래

프랑스의 미셸 세르는 융합시대, 흐름의 시대를 대표하
는 철학자의 한 전형이다. 그의 철학의 신은 그리스 신화
에 나오는 헤르메스이다. 일명 머큐리로 불리기도 하는
헤르메스는 제우스가 바람을 피워 낳은 많은 아들 중의 하
나이다. 날개 달린 모자, 날개 달린 신발, 날개 달린 지팡이
를 들고 있는 모습으로 그려지는 헤르메스는 제우스의 전령으로, 날아다
니며 소식을 전하는 메신저의 역할을 하는 것이 주 임무이다.

　헤르메스는 두 마리의 뱀이 그려진 마법의 지팡이를 들고 다니며, 바람
과 구름을 관장하고, 새처럼 날아다니며, 그 어떤 장애물도 통과하는 도둑
의 신이기도 하다. 상업, 도둑, 수학, 음악, 잔재주, 메신저, 안내자 등 그
를 특징짓는 수식어는 여러 가지이다. 그는 이곳저곳을 다니며 소식을 전
하고, 물건을 훔치기도 하고, 교역을 하기도 하고, 안내를 하기도 했다. 또
한 인간에게 올리브 재배법을 알려주고 도량형을 만들어내는 등 유용한
기술을 전수했다. 그가 들고 다니던 황금 지팡이 케리케이온은 지혜와 상
업을 상징하는 것으로서, 세계의 여러 대학 기관들의 표식으로 널리 쓰이
고 있다. 그의 모자 페타소스는 소식과 전갈을 상징하는 것이었는데, 오늘
날에는 지식과 정보의 상징이 되었다.

　헤르메스는 우리가 그리스 신화 속에서 찾을 수 있는 네트워크의 원조
이다. 그는 잠시도 가만있지 않는다. 오죽하면 신발, 모자, 지팡이 모두에
날개가 달려 있을까? 제우스의 전령 노릇을 하고 소식을 전하는 데 꼭 날

개가 필요했을까? 메신저로서 그는 걸어서 일일이 하나하나의 소식들을 면대면으로 전하지 않고, 아주 빨리 가볍게 흔적을 남기지 않고 소식을 전한다. 신화에 의하면 그는 빛처럼 지극히 작은 틈이라도 있으면 그 틈을 타고 자물쇠와 벽과 장애물을 통과할 수 있다.

그가 소식을 전하는 기술은 오늘날의 정보통신기술에 버금간다. 일종의 광케이블과도 같은 것이었다. 그가 수행하는 임무는 오늘날 우리가 사용하는 인터넷이라고 할 수 있다. 소식을 전하고, 물건을 사고팔고, 안내도 하고, 사람들 사이를 이어주기도 하는 네트워크인 것이다. 지식정보 네트워크, 지식 검색, 메신저, 쇼핑을 주 업무로 하는 네이버가 헤르메스의 날개 달린 모자를 아이콘으로 삼은 것은 이러한 맥락일 것이다.

헤르메스의 메신저로서의 역할이 중요한 것은 그냥 그곳에 묻혀 있어 전해지지 않으면 빛을 보지 못할 것들이 전해지고 네트워크됨으로써 시너지 효과와 예상을 뛰어넘는 창조를 낳을 수 있기 때문이다. 헤르메스는 세상에 숨겨진 비밀, 보물들을 찾아내고 연결시킨 네트워크의 원조이다.

세르는 메신저, 네트워크의 원조 헤르메스를 우리 시대에 다시 살려낸 철학자이다. 세르는 1969년부터 1980년 사이에 《헤르메스》라는 연작물 5권을 냈다. 〈소통〉, 〈간섭〉, 〈번역〉, 〈분포〉, 〈서북 통행로〉라는 제목만으로도 그의 연작 시리즈가 무엇을 말하는지 알 수 있다. 《헤르메스》라는 이름을 붙인 것은 철학자의 역할이 헤르메스처럼 안내자와 메신저의 역할이어야 함을 강조하기 위한 것이다. 지식과 기술을 전파하고 소통하게 하는 것이 우리 시대의 가장 중요한 핵심이라는 것이다.

헤르메스의 제4권 〈분포〉를 살펴보자. 세르가 지식의 기원, 세계의 시작, 공간의 시초와 시간의 시초, 생명의 시초를 성찰하기 위해 우리에게 던지는 키워드들은 구름, 뇌우, 시냇물, 카오스, 분자, 혼합물, 부패, 누더기, 군중, 장터, 황야, 여행이다.

그의 이력은 매우 다채롭다. 해군 사관학교에서 수학과 과학 학사 학위를 취득하고, 그 후 고등사범학교에서 철학과 문학을 전공했다. 그는 전통적 철학의 범주를 벗어나 일찍부터 학문들 사이의 벽을 허물고 소통시키는 문제에 관심을 가졌다. 이런 그의 철학이 전통적인 철학의 계보에서는 받아들여지기 힘들었던 것은 당연하다. 그는 학문들 사이의 전령으로서 문학, 과학, 철학, 과학사 사이를 헤르메스처럼 돌아다닌다.

그는 길과 네거리, 전언과 상인의 신 헤르메스를 자신의 학문의 신으로 삼고, 학문 분야들의 중간 매개자의 역할, 학문의 벽들을 뚫고 가로지르며 각자의 영역에서 굳게 닫혀져 소통되지 못하던 것을 소통시킨다. 수학, 물리학, 역학, 과학사, 문학, 신화, 철학, 정보이론 등을 두루 섭렵하며, 자신의 학문을 백과사전이라는 공간을 가로지르는 여행과도 같은 것으로 상상한다.

그는 여러 학문들 사이를 돌아다니며 서로 다른 생각들이 간섭하고 전이되고 화학반응을 일으키는 상상의 학문을 실천했다. 그의 글, 그의 사색의 통로는 마치 헤르메스가 날개 달린 모자와 신발을 신고 종횡무진 날아다니는 네트워크 같다. 그의 글은 일종의 상상 여행이다.

그는 인간의 삶을 지배하는 가장 중요한 현상들을 철학이라는 범주 안에 머물지 않고 생물학, 환경학, 경제학, 자연과학, 인문과학을 넘나들며 성찰한다. 그는 헤르메스처럼 지금껏 연결되지 못했던 상상력의 비밀 아지트들을 날아다니며 글을 쓴다. 그래서 그는 융합시대 철학자의 전형이다.

네트워크 상상력

이질적인 것의 네트워크로서의 상상력이 만들어내고 있는 콘텐츠는 철학과 예술 분야뿐만 아니라 우리의 일상 문화를 가득 채우고 있다. 갈낙탕, 오삼불고기, 불고기버거, 전복삼계탕, 피자빈대떡, 청국장초콜릿, 김치파스타 등 전혀 어울리지 않으리라고 생각되는 것들이 결합하여 창의적인 음식문화를 만들어내고 있다.

이것은 백남준이 한국 문화의 원형이라고 한 비빔밥 문화의 변형들이다. 한국인은 비빔의 문화에 능숙하다. 어쩌면 이것이 모든 것을 네트워크 시키는 IT 문화를 일으킨 원동력인지도 모른다. 세계적인 상상력 콘텐츠가 된 〈난타〉는 한국적 사물놀이 가락과 주방기구들의 비빔이다. 〈비보이를 사랑한 발레리나〉 역시 이질적인 것의 비빔으로 성공한 뮤지컬이다. 최근 한국 신세대 문화의 대명사가 되어버린 붉은 악마와 촛불 또한 그 자체가 상상력의 코드들이 아니겠는가. 그것은 개인의 상상력이 집단적 상상력으로 나타난 역사적 현상이다.

디지털 시대 상상력의 개념이 바뀌고 있다. 보이지 않는 것을 표상하는 능력으로서의 고전적인 상상력보다는 아주 이질적인 것들을 꿰어 맞추는 능력으로서의 상상력이 강조되고 있다. 지식의 무한한 생산과 유통이 진행되는 지식정보 사회에서는 지식 그 자체보다 지식과 지식들이 융합하여 새로운 것을 창출하는 상상력이 더 중시되고 있다. 상상력과 결합되지 않은 지식은 한낱 죽어 있는 정보에 불과하기 때문이다. 상상력은 죽어있는 정보에 생명을 불어넣는 작업이다. 지식 데이터들이 상상력을 통해서 서로 충돌하고 결합되고 융합될 때 새로운 생각, 새로운 기술, 새로운 문화가 창조될 수 있는 것이다. 상상력은 곧 융합하는 기술이다. 상상력은 네트워크 능력이다.

흄은 관념들을 자유롭게 결합하는 능력을 상상력이라고 했다. 인간이 반인반수와 같은 신화 속의 동물들을 만들어낼 수 있는 것은, 경험을 통해 얻은 실재하는 동물들에 대한 관념들을 그것들의 실제 모습과 상관없이 자유롭게 결합시킬 수 있는 상상력의 활동 덕분이라는 것이다. 따라서 흄에게 있어 상상력이란 곧 관념 사이의 자유로운 네트워크를 형성하는 능력이기도 하다. 인식의 외부에서부터 온 관념들을 그 대상들의 속박으로부터 해방하고 다른 대상들과 연결하는 능력이 곧 상상력이다.

이러한 개념에 의해서 상상력의 범위는 무한대로 확장될 수 있다. 우리는 무한한 네트워크의 단위들을 생각해볼 수 있기 때문이다. 흄이 예시한 동물들의 신체를 한 단위로 네트워크를 형성할 수도 있고, 예술과 공학, 산업과 같은 훨씬 더 거대하고 추상적인 관념들을 한 단위로 한 네트워크를 형성할 수도 있다. 예술은 상상력의 네트워크를 통해 상품으로서의 산업적 생산력을 얻게 되고, 상품은 예술로서의 미적 생산력을 얻고 있다. 우리 시대는 상상력이 곧 생산력인 시대인 것이다.

이러한 네트워크 상상력의 개념을 가장 잘 반영하는 예술 혹은 산업 분야는 애니메이션이다. 애니메이션은 영화와는 다른 제작 환경 덕분에 흄의 반인반수와 같은 상상력이 가장 잘 표현될 수 있는 매체이다. 산업 애니메이션의 선구자인 월트 디즈니가 만들어낸 미키마우스와 도널드 덕과 같은 캐릭터들은 인간과 동물 간의 네트워크의 결과물이었다. 세계의 아이들은 동물들이 인간처럼 말을 하며 친구처럼 다가오는 월트 디즈니의 꿈[22] 같은 세계에 빠져들었다. 하지만 애니메이션의 네트워크 상상력은 비단 아이들만 열광시킨 것이 아니었다. 디즈니 애니메이션의 캐릭터들은 아이들을 위한 완구와 의상, 테마파크를 통해 다시 태어나 하나의 거대한 산업의 네트워크를 형성했고, 이는 어른들에게 또 다른 새로운 꿈의 무대였다.

애니메이션의 초산업적 네트워크를 가장 잘 상품화한 나라는 일본이다. 일본에서 애니메이션은 TV연속극의 범위를 훨씬 넘어서는 문화산업의 차원에서 발전했다. 일본의 애니메이션은 기획 단계에서부터 그것이 가져올 부가가치를 고려하여 제작되었다. 일본의 로봇 애니메이션의 경우, 로봇의 디자인 단계에서 그것을 완구화할 수 있는지의 여부가 중요한 변수로 작용한다는 사실은 익히 알려져 있다. 로봇의 완구화 가능성은 자연스럽게 로봇의 형태에 공학적인 현실성을 부여해 로봇 애니메이션의 SF장르적 특성을 발전시키는 작인으로 기능하기도 했다. 일본의 로봇 애니메이션은 산업 차원의 네트워킹을 통해 미학적, 공학적, 산업적인 요소들을 결합함으로써 변증법적으로 발전되어왔던 것이다.

일본 로봇 애니메이션에서의 네트워크 상상력은 합체로봇이라는 로봇의 특수한 형태에서 잘 드러난다. 합체로봇이란 서로 다른 로봇이나 비행기, 전차들이 결합하여 하나의 거대한 로봇이 되는 로봇을 말한다. 한마디로 네트워크형 로봇이다. '게타로보'와 같은 합체로봇의 경우 그것들의 결합되는 순서에 따라 완성된 로봇의 형태가 달라지기도 한다. 이는 네트워크 상상력이 로봇의 형태에 직접 개입된 사례라 할 수 있다. 〈트랜스포머〉 역시 현시대 네트워크 상상력을 보여주는 전형이다. 무한한 변형 가능성이라는 디지털의 특성 때문에 오늘날 상상력은 그 어떤 것도 고정적인 것으로 생각하는 않는 사고의 유연성이 되고 있다.

상 상 한 다 , 고 로 존 재 한 다

우리는 위에서 상상하는 인간의 세 가지 유형을 제시했다. 돈 실비오는 동화의 세계와 현실을 착각한 나머지 몽상가로서의 모험을 하다가 결국 치유되어 시민사회로 되돌아온다. 그것은 이성을 문제 삼지 않은 유희적 게임적 상상력으로서 오락적 기능을 내포하고 있었다. 반면에 노발리스의 하인리히는 지상적 현실을 궁극적인 것으로 생각하지 않고 무한한 현실, 곧 모든 것이 조화를 이루고 있는 황금시대를 찾아 꿈과 현실과 동화가 하나가 되는 초월적인 세계로 여행하고 있다. 호프만의 나타나엘은 시민사회에서 배제된 아웃사이더로서 그의 상상력은 과학이 만들어낸 기계와도 같은 것이었으며 과학과 예술의 반목과 통합을 동시에 제시해주고 있다. 이 세 가지 유형의 상상하는 인간은 단지 시대적 맥락에 따른 것일 뿐, 우리 인간은 이 세 가지 유형의 모습을 모두 가지고 살아간다.

오늘날 우리의 상상력을 바로 현실로 만들어주는 것은 이성과 계몽에 기반한 테크놀로지이다. 테크놀로지를 기반으로 우리는 상상력의 유희를 마음껏 누릴 수 있으며 또한 디지털이라는 새로운 언어로 노발리스가 꿈꾼 것과 같은 세컨드 라이프를 누리고 있다. 또한 우리 인간은 나타나엘처럼 우리가 만든 기계와 같은 기계적 존재가 되어가고 있다. 오늘날 상상하는 인간은 세 가지 유형의 합이다.

테크놀로지와 상상력이 모순적 관계를 넘어 상호보완적인 관계에 들어섬으로써 우리는 상상력이 해방된 사회에 살고 있다. 이제 상상력은 동화에 빠진 돈 실비오나 하인리히 그리고 나타나엘 같은 낭만적 예술가들의 전유물이 아니라 모든 보통 인간들의 능력이 되었다. 디지털이 누구나 상상할 수 있는 환경을 만들어줌으로써 상상력의 민주화를 가져왔기 때문이다. 그리고 또한 우리는 상상하지 않고는 삶을 영위할 수도 비즈니스를 잘할 수도 경쟁력을 가질 수도 없는 상상하는 사회 드림 소사이어티에서 살고 있기 때문이다. 인간은 호모이마기난스이다. 인간이 존재하는 한 상상력은 영원한 것이다. 인간은 상상한다. 고로 존재한다.

2부.
인간의 가장
원초적인 소망, 이야기

인류 최초의 상상력,
신화

인류의 탄생에서 종말까지의 여정을 단 몇 컷의 영상으로 압축한 스탠리 큐브릭 감독의 SF영화 〈2001 스페이스 오디세이〉는, 태풍을 피해 동굴 속에 숨어든 유인원들이 밤의 어둠을 공포 어린 시선으로 주시하는 장면을 통해 문명의 탄생을 묘사하고 있다.

인간은 영화 속 인류의 조상들처럼 예측할 수 없는 자연의 변화와 주위를 둘러싼 어둠을 '공포'로 인지하면서, 즉 '나'의 외부에 존재하고 있는 타자를 인식하는 과정을 거치면서 '자신'의 존재에 질문을 던지기 시작했다. 인간은 자연에서 분리되면서부터 '의식'을 형성하게 되었고, 분리의 결과 자연을 타자로 인식하게 되었다. 그리고 미지의 타자를 의식의 지평 속에서 이해하기 위해 '상상'이 시작되었다. 사실 초기의 문명들에서 공통적으로 발견되고 있는 신화의 몇몇 패턴들은 변화하는 자연을 향한 인류 최초의 상상력이라 말할 수 있다.

원초적인 상상력의 보고인 신화에서, 모든 자연 현상들이 의인화된 신들의 이야기로 꾸며지고 있다는 점은 최초의 상상력이 자연과 인간의 관계로부터 시작되었음을 증명하고 있는 것이 아닐까. 결국 신화적 상상력 속에서 자연 현상과 공포는 하나로 엮여 들어가고 있지 않은가?

우주에서의 태양의 움직임을 고대 인간들은 어떻게 상상했을까? 그들은 태양의 신 헬리오스가 마차를 타고 동쪽에서 서쪽으로 불타는 공을 움직이고 있다고 상상했다. 그런데 한 번은 헬리오스가 아들 파에톤에게 마차를 맡겼고, 파에톤은 마차를 제대로 다루지 못해 궤도를 이탈해 지구에 너무 가깝게 다가오는 바람에 그만 땅을 태우고 말았다. 제우스가 이를 막기 위해 그를 번개로 죽이자 파에톤은 별이 되었다. 이 신화는 일몰 전의 태양이 어두워지는 현상과 저녁노을 그리고 석양이 시작될 때 저녁 별이 나타나는 자연 현상을 신들의 이야기로 포장하여 설명하고 있는 것이다.

신에 관한 이야기인 신화가 결국 인간이 본 자연을 이야기하고 있다면, 동화는 자연 속에 처한 인간의 본원적인 상황을 상상적인 이야기로 전하고 있다.

옛날에 한 왕과 왕비가 살고 있었는데 그들은 매일 '아, 우리도 아기를 가졌으면!' 하고 바랐으나 오랫동안 아기가 생기지 않았다. 하루는 왕비가 목욕탕에 앉아 있는데, 개구리 한 마리가 물에서 육지로 기어 나와 그녀에게 말했다. "당신의 소원은 이루어질 것입니다. 1년이 지나기 전에 당신은 딸을 낳게 될 것입니다." 동화 《잠자는 숲 속의 공주》는 이렇게 시작된다. "그는 먹을 것이 거의 없었고 극심한 기근이 그 나라에 닥쳐왔을 때 매일매일 빵도 마련할 수가 없었다." 이것은 동화 《헨젤과 그레텔》의 시작이다. 결국 먹을 것이 없어서 부모는 아이들을 버리고, 그것이 발단이 되어이야기가 전개된다. 이처럼 동화의 이야기는 아기가 없거나 먹을 것이 없는 결핍 상태에서 시작된다.

결핍은 인간에게 가장 본질적인 상황이다. 고대의 인간은 자연 속의 인간이었다. 따라서 거대한 자연의 힘 앞에 맞서는 과정은 인간이 신비로운 자연력에 비해 결핍을 느낄 수밖에 없었고, 동시에 유한한 자신에 대립되는 완전한 것에 대한 이상을 마음속에 간직하고 있었다.

동화의 시작에서 주인공은 항상 절망적 상황에 처해 있지만, 그 상황에서 벗어나고자 하는 욕구와 행복해질 수 있다는 희망을 가지고 있다. 그리고 이러한 어려움과 결핍의 극복이 이야기의 근본 구조가 된다. 이처럼 상상력은 결핍을 충족하고자 하는 인간의 욕망에서부터 탄생한다. 결핍된 현실로부터의 해방, 자유와 행복의 유토피아적 꿈에서 이야기의 상상력은 시작되었다.

동화 속에 나타나고 있는 인간의 끊임없는 상승욕구는 그러한 원초적인 욕망과 꿈의 구체적인 양상이다. 동화 속에서 인간의 끊임없는 신분 상승이 이루어지고 있는 것은 바로 이러한 맥락에서이다. 바보가 가장 현명하고 용감한 자가 되고, 비천한 돼지치기가 공주의 남편이 되기도 하며, 가난한 소녀가 왕자나 왕의 아내가 된다.

동화 속에서는 일상적인 현실이 결국은 주인공이 행복하게 살 수 있는 세계로 전환되어야 한다. 현실 세계에서는 행복이 불가능해 보인다. 그래서 동화의 주인공들은 현실을 떠나서 상상의 세계 속으로 들어가야 한다. 말하는 동물이나 요정 등 초현실적 존재들은 주인공을 이러한 상상의 세계로 인도하는 존재들이다. 개구리는 왕과 왕비의 소망의 의인화이다. 주인공에게 적대적인 존재인 마녀는 주인공의 걱정거리다. 그러나 그러한 상상의 세계는 현실과 멀리 떨어져 있는 것이 아니라 아주 가까이 있으며, 마술적인 상상의 세계와 현실은 하나의 공간에 뒤섞여 있다. 이처럼 동화 속 상상의 공간은 다차원적인 동시에 일차원적이기도 하다.

이야기 상상력은 현실과 꿈, 현실과 비현실의 변증법적 관계 속에 그 토대를 두고 있다. 그래서 동화의 이야기는 반드시 현실과 비현실을 자연스럽게 연결시키는 상황을 설정하고 있다. 동물인 개구리가 예언을 말한다고 해서 인간이 공포를 느끼거나 내적인 긴장에 빠지지 않는다. 인간은 마치 자신이 저승의 존재와도 동일한 것인 양, 비현실적 세계와 자연스러운 관계를 맺고 있다. 실제로 동화에서는 공간적으로 이승과 저승의 네트워크가 자연스럽게 일어난다.

또한 동화는 시간적으로도 과거, 현재, 미래를 하나로 연결한다. 모든 동화의 시작인 '옛날 옛적에……'라는 말은 과거의 일회적인 사건을 지칭하는 것만이 아니라 과거에 한 번 일어났던 일이 현재에도 또 먼 미래에도 일어날 수 있다는 시간적 보편성을 의미한다. 이 점에서 동화는 인간의 가장 보편적인 상황을 상상적인 이야기로 포장한 것이다. 동화 속에는 인류 전체의 보편적 의식이 투사되어 있다.

잠자는 숲 속의 공주는 100년간의 긴 잠을 깬 후에도 100년 전과 마찬가지로 아름답고 옛 모습 그대로이다. 시간의 기능이 완전히 상실된 것이다. 공주의 잠과 함께 모든 존재도 함께 정지하고 만다. 왕과 왕비는 물론 마구간의 말, 정원의 개, 지붕 위의 비둘기, 벽 위의 파리, 아궁이에서 훨훨 타던 불, 바람과 나무의 성장마저 모두 정지된다. 그러나 공주가 왕자의 입맞춤으로 다시 깨어날 때, 100년간 많은 사람을 찔러 죽였던 가시덤불은 아름다운 꽃으로 피어나고, 정지되었던 모든 자연과 인간의 운동은 다시 시작된다. 결국 이 이야기는 죽음과 부활이라는 인간과 세계의 영원한 리듬이 시간을 초월하여 존재를 규정하고 있다는 진리를 상상력으로 포장하고 있는 것이다.

이러한 이야기의 구조가 오늘날 할리우드 영화를 위시한 많은 대중문화 콘텐츠에서 그대로 이어지고 있는 것은 우연이 아니다. 신화나 동화의 이야기가 담고 있는 것은 자연과 세계에 대한 인간의 가장 보편적인 생각이기 때문이다. 현실의 극복과 함께 자연을 극복하며 세계를 극복하는 것이야말로 인간의 가장 원초적인 소망이다. 동화에 인간 세계의 본질적인 현상들이 모두 포괄되어 있는 것도 이러한 맥락에서이다.

동화 속의 인물들은 가장 높은 계급인 왕과 왕비로부터 가장 천한 돼지치기나 하녀까지, 가장 착한 사람으로부터 가장 악한 사람까지 전 계급을 망라하여 등장한다. 반면 부자도 아니고 가난뱅이도 아닌 중산층, 선인도 악인도 아닌 보통 사람들은 동화에 거의 등장하지 않는다. 동화에는 최상급만이 존재하는 것이다. 이는 세계의 보편성을 짤막한 형식 속에 축약하기 위한 동화만의 전략이다. 동화 속의 인물은 그래서 가장 가난한 자이거나 가장 부유한 자요, 가장 고귀한 자이거나 가장 비천한 자요, 가장 악한 자이거나 가장 선한 자요, 가장 아름다운 자이거나 가장 추한 자이다. 동화의 이야기는 이 세계의 모든 것을 포괄하고자 한다. 이는 동화의 전 우주적 경향이다.

《잠자는 숲 속의 공주》에서 인간 세계는 남자, 여자, 아기를 통해서 대변되고 사물계는 노동의 산물인 물레, 휴식의 산물인 금으로 된 접시 등으로 대변된다. 그리고 거기에는 결핍(아기가 없는 사실), 동경(아, 우리도 아기를 가졌으면!), 기쁨(왕이 기뻐서 잔치를 베푸는 사실), 축복(요정들이 아기에게 복을 내려주는 일), 복수(열두 번째 요정의 예언), 동정(열세 번째 요정의 예언), 비참(공주가 물레에 찔려 죽는 일) 등 인간의 모든 감정이 나타나고 있다.

동화의 이야기는 이렇게 하나의 소우주를 표방하고 있다. 세계는 다양성 속에서 혼란이요 혼잡이다. 이러한 세계를 이해하기 위해서 인간은 무수한 제 현상을 좁히고 가르고 파악해야 한다. 잔치에 가려는 신데렐라에게 계모는 콩을 재 속에 가득 뿌려놓고 2시간 안에 골라내라는 과제를 부여한다. "인간과 세계는 모든 종류의 씨앗이 흩어져 있는 더미 앞에 서 있고 또 그 씨앗들을 하룻밤에 제대로 골라내는 과제를 부여받은 《신데렐라》 동화의 주인공 소녀를 연상케 한다."[23]

유한한 존재인 인간이 무한한 우주를 파악하는 데 있어 상상력은 필연적이다. 상상력은 인간의 무한으로의 의지 표상이다. 항상 상승 의지를 가지고 행동하는 인간에게 상상력은 필요불가결하다. 그래서 동화 속의 주인공은 한곳에 속박되어 머무르지 않고 계속 유랑한다. 그들은 한 단계에서 다음 단계로 계속 전진한다.

모든 것과 모든 것을 연결시킬 수 있는 동화는 네트워크로서의 상상력의 구현이다. 왜 동화 속의 인물들은 고립된 자로 나타나고 있는 것일까? 그들은 마지막 끝이거나 한 열의 마지막이다. 가장 어린 아이, 늙은 양, 바보, 공주, 왕 등 공주나 왕자 자체는 사회적 신분으로 볼 때 대중과 융합될 수 없는 고립된 인물이다. 이러한 극단적 고립 속에서 그들에게는 모든 방향으로 관계를 맺을 수 있는 가능성이 부여된다. 고립이란 일면 완전히 자유로운 상태이기도 하다. 고립되어 있을 때는 외부의 어떤 것에도 구속되어 있지 않기 때문이다. 고립된 주인공은 어떤 일이든 놀라지 않고 체험할 수 있다. 인간은 고립되었지만 전 우주적으로 모든 것과 관계 지을 수 있는 능력이 있다.

신화나 동화의 이야기 상상력이 표현하고 있는 보편성, 우주성, 모든 것과의 연결 가능성이 이야기를 시대를 초월하여 기능하는 가장 강력한 콘텐츠가 되게 했다. 동화는 현실을 넘어서려는 인간의 상상력의 표현이다. 그래서 동화는 현실의 시간, 공간, 인과율을 초월한다. 그리고 현실과 비현실이 일차원적으로 하나로 만난다.

이야기의 상상력은 시간과 공간을 해체하며 현실을 떠나 현실에 없는 새로운 공간을 설정한다. 따라서 상상력의 DNA는 액체적이다. 모든 고정적인 것은 상상력을 통해서 해체되며 변형된다. 상상력은 그 어떤 것도 결코 궁극적인 것으로 인정하지 않으려는 무한한 에너지이다. 그래서 상상력은 네트워크이며 융합이며 나아가 모든 콘텐츠 창조의 원동력이다.

삶과 죽음의
경계를 넘어

신화나 동화의 이야기가 고립된 주인공으로부터 시작된다는 사실은 이야기의 중요한 기능 중 하나가 '경계 넘어서기'임을 보여준다. 헤라클레스와 같은 그리스의 영웅들은 폴리스의 시민이 아니었다. 영웅이란 법의 테두리에 거주하지 않고 그것을 초월하는 자들이다. 그들은 삶의 터전인 시민사회를 넘어서 죽음의 세계를 탐험하는 이들이었으며, 죽음의 세계로부터 다시 삶을 길러내는 존재들이었다.

신화학자 조셉 캠벨의 저서 《천의 얼굴을 가진 영웅》은 세계의 수많은 영웅 신화들에서 공통으로 발견되는 형식적 구조를 통해 삶과 죽음의 접점으로서 이야기의 성격을 드러내고 있다. 그에 따르면 신화 속의 영웅들은 죽음의 세계 속으로 침잠해 들어가 괴물들을 처단하고 여신과의 결혼을 통해 우주적 합일의 상태에 이른다. 여신과의 결합 이후 영웅들은 죽음의 세계로부터 가져온 전리품을 인간들의 세계에 풀어놓음으로써 세계를 이롭게 한다.

캠벨의 해설에서 우리는 이야기를 이끌어가는 두 가지 충동을 발견할 수 있다. 하나는 죽음의 세계에서 우주와의 초월적인 합일을 이루고자 하는 죽음에의 충동이고, 다른 하나는 전리품을 얻어 다시 삶의 공간으로 돌아오려는 삶의 의지이다. 한국의 전통 설화인 〈바리데기〉 이야기는 캠벨이 말한 삶과 죽음이 뒤섞이는 신화적인 공간을 잘 보여주는 예이다. 〈바리데기〉 설화에서 바리공주는 병든 아버지의 병을 치료할 수 있는 무장신선의 불사약을 구하기 위해 저승세계를 지나 신선세계로 여행한다. 그곳에서 바리공주는 불사약을 얻는 대가로 무장신선과 혼인해 아들 일곱을 낳는다. 이후 바리공주는 불사약을 들고 다시 인간세계로 돌아와 죽은 아버지를 되살려낸다.

바리공주의 이야기는 아버지를 살리고자 하는 목적을 향해 진행된다. 하지만 삶의 복원을 가능하게 하는 에너지는 처음과 끝의 사이에 놓여 있는 죽음의 세계로부터 분출한다. 이야기는 죽음을 경유함으로써 삶을 끊임없이 갱신한다. 이야기에는 삶을 위해 죽음을 거쳐 가야만 하는 아이러니가 존재하는 것이다.

호머의 《오디세이》에서 영웅 오디세우스는 자신의 가정으로 되돌아가기 위해 사람들을 죽음의 무차별적인 심연으로 유혹하는 사이렌의 노래를 견뎌내야만 하는 의무를 가지고 있는 것으로 묘사된다. 오디세우스는 선원들에게 사이렌의 노래를 듣지 못하도록 귀를 틀어막을 것을 명령하지만, 정작 자기 자신은 스스로를 선체에 꽁꽁 묶어 사이렌의 시험을 견뎌낸다. 죽음의 세계 속으로 침잠해 들어가서 다시 삶의 세계로 귀환하는 것이 신화 속 영웅의 사명임을 보여주는 대목이다.

이야기는 삶의 영역을 회복하기 위해 결말을 준비하지만, 동시에 그 결말은 끊임없이 지연된다. 우리가 이야기를 들으며 느끼는 쾌감은 결말이 주는 안정감에 있는 동시에 끝없는 지연이 주는 긴장감에도 있다. 이야기에 투사된 우리의 욕망은 삶에의 욕망인 동시에 죽음에의 욕망이기도 한 것이다.

매일 밤 자신의 목숨을 연장하기 위해 왕에게 새로운 이야기를 들려줘야 하는 《아라비안나이트》 속 주인공인 세헤라자데는 삶과 죽음의 긴장

속에서 상상의 세계를 직조해내는 이야기꾼의 전형이다. 《아라비안나이트》는 샤푸리 야르 왕이 왕비와 후궁들이 다른 인종의 노예들과 난교하는 장면을 목격한 이후 생긴 왕의 정신병에서 시작된다. 여성의 정조에 대한 불신에 휩싸여 왕비와 후궁들을 모조리 처형한 샤푸리 야르 왕은 매일 밤 자신과 동침한 처녀들을 죽이는 괴벽이 생겨 3년간 왕국 내의 모든 처녀가 희생된다. 왕에게 매일 밤 처녀를 바치는 임무를 가진 대신은 더 이상 처녀가 남아 있지 않자 결국 자신의 딸 세헤라자데를 왕의 침실로 들여보낸다. 세헤라자데는 자신의 목숨을 연장하기 위해 매일 밤 왕에게 재미있는 이야기들을 들려준다. 그녀의 이야기에 매료된 왕은 다른 날에도 이야기를 듣기 위해 그녀를 계속 살려두었고, 그녀의 이야기는 천 일 동안 계속된다. 그리고 그녀의 이야기들이 결국 왕의 괴벽을 치료한다.

《아라비안나이트》에서 샤푸리 야르 왕이 목격한 난교 장면은 자신의 가정과 왕국의 질서를 훼손하는 행위였다. 당시의 아랍 사회에서 계급과 인종의 위계적 분할은 삶의 터전으로서 사회를 구성하는 핵심적인 원리였다. 반면 서로 다른 계급과 인종이 융합되는 난교는 곧 삶의 질서에 대한 모독이었다. 따라서 샤푸리 야르 왕이 그날 이후 모든 여성을 혐오하게 되는 것은 삶을 위협하는 죽음의 공포로부터 자신과 왕국을 보호하려는 반작용이다.

하지만 《아라비안나이트》의 서술에 따르면, 샤푸리 야르 왕은 난교를 목격한 바로 그 순간 그들을 처단하지 않았다. 그는 난교가 끝나고 노예와 왕비가 뿔뿔이 흩어질 때까지 숨을 죽이고 불륜 장면을 훔쳐본다. 왕이 난교 장면에서 순전히 혐오감만을 느꼈다면 그는 명백한 증거가 확보된 순간 그들의 행위를 중지시켰을 것이다. 하지만 아내의 불륜을 훔쳐보는 장면에서, 삶의 질서를 회복하고자 하는 샤푸리 야르 왕의 의지는 순간적으로 마비되어 버린 듯하다. 그가 난교에서 느꼈던 감정은 단순한 혐오와 공포 이상의 것이다. 왕은 어쩌면 난교가 불러일으키는 죽음의 충동에 매료되어서 삶을 다시 되돌려놓는 자신의 의무를 망각하게 되었을지도 모른다.

죄인들을 처단한 이후에도 샤푸리 야르 왕이 계속해서 처녀들을 살해했다는 사실 또한 그의 집착이 삶의 회복으로 향해 있기보다는 죽음의 재연에 고착되어 있었음을 증명한다. 처녀들을 반복적으로 처형하는 행위는 아내의 부정을 정화하는 행위이기보다 삶의 공간에서 금지된 '원초적 장면'을 계속해서 상기시키는 것이다. 왕은 3년 동안 처녀들의 부정을 처단한다는 명목으로 어느 날 자신이 죽음의 세계를 통해 느꼈던 쾌감을 반복하고 있었던 것이다.

삶으로의 회귀와 죽음에의 집착 사이에서 병을 얻은 샤푸리 야르 왕에게 세헤라자데의 이야기는 치료의 수단이었다. 그녀의 이야기로 인해 왕은 더 이상 처녀를 죽이지 않게 되었는데, 세헤라자데의 이야기들이 처녀의 처형을 대신해서 죽음의 세계를 현실 속으로 불러냈기 때문이다. 사실 세헤라자데가 들려주는 인간과 마신들의 신비로운 이야기들은 캠벨이 해설한 영웅 신화의 구조와 유사한 것들이다.

신드바드가 일곱 번씩이나 인도양에 나아가 갖가지 위난을 극복한 끝에 바그다드의 부호가 되는 〈바다의 신드바드 이야기〉는, 〈바리데기〉 설화와 같이 모든 것을 집어삼켜 버리는 바다라는 죽음의 공간으로부터 값진 전리품들을 삶의 세계로 가져오는 이야기이다. 세헤라자데의 이야기들은 샤푸리 야르 왕에게 있어 너무 매혹적이기에 너무 위험한 것이었던 죽음에의 충동을 다시금 삶의 풍요와 재활성을 위한 바탕으로 불러오는 것이었다. 그녀의 이야기는 삶과 죽음을 화해시킴으로써 왕의 병을 고칠 수 있었다.

무의식, 상상이 시작되는 곳

사실 이야기가 치료 기능을 갖고 있다는 사실은 현대에 이르러 더 많은 주목을 받고 있다. 고도로 복잡해진 사회가 초래한 인간 정신의 질병들을 이야기가 치료해줄 수 있을 것 같아 보이기 때문이다. 기술적 진보가 가져다준 물질적 풍요는 사람들에게 더 많은 욕망의 충족을 약속하는 것처럼 보이지만, 상품으로 전치된 욕망의 대상들은 더 이상 인간의 근원적 욕구를 해소시켜주지 못한다. 인간들의 욕망은 시장의 논리와 사회적 규제에 의하여 코드화되었으며 그럴수록 '진짜 자기'로부터 멀어져갔고, 그 결과 모든 현대인들은 신경증에 시달리게 되었다.

신경증은 사회적 규제가 개인의 욕망을 과도하게 억압할 때 발생하는 질병이다. 이때 개인의 욕망은 사회가 허용하는 행위의 영역에서 배제된 것들이기 때문에 의식으로부터 추방당한다. 의식에서 거부당한 욕망은 사라지지 않고 무의식 속에 숨어 있다가, 신경증이라는 증상으로 드러난다. 의식이 언어의 규칙과 관습, 사회적 질서와 법으로 구성되는 공간이라면, 무의식은 그러한 규칙들에 의해 배제된 규정할 수 없는 것들, 기존의 질서로는 인식될 수 없는 것들, 현실에서 추방된 오직 상상 속에서만 가능한 것들의 장소이다. 따라서 무의식은 질서와 규칙으로 작동하는 삶의 영역을 위협하는 죽음의 공간이다. 하지만 그것은 동시에 고착되고 정체된 현실의 질서를 끊임없이 새롭게 만드는 원동력이기도 하다.

이야기는 현실 원칙이 작동하지 않는 죽음의 세계와 삶을 구성하는 규칙들을 매개함으로써 양자 간의 새로운 균형 상태를 이룬다. 한 편의 이야기를 관통하는 상상력은 현실에서 불가능한 '전리품'들을 죽음으로부터 끌어오는데, 이 전리품들은 현실을 더욱 풍요롭게 한다는 점에서 치료 기능을 갖는다.

21세기를 살아가는 현대인들은 수천 년 전의 샤푸리 야르 왕보다 훨씬 더 많은 억압을 받으면서 살아간다. 문명의 진보는 문화가 고도로 체계화되어가는 과정이었다. 체계가 강화될수록 그 속에서 살아가는 인간들은 체계 바깥을 상상하기가 힘들어진다. 신경증이 현대인들의 고질병이 된 사정에는 합리화와 체계화의 역사가 있는 것이다. 그런 현대인들에게 영화관은 샤푸리 야르 왕에게 세헤라자데가 했던 역할을 대신한다. 한 편의 영화 속에서 관객들은 현실 질서의 균열을 경험하고, 그 틈을 통해 무의식의 세계로 들어간다.

타셈 싱 감독의 2006년 작 〈더 폴: 오디어스와 환상의 문〉은 죽음 충동과 삶의 의지를 조율하는 영화의 기능을 잘 보여주는 작품이다. 〈더 폴〉의 이야기는 1920년 로스앤젤레스의 한 병원에서 시작된다. 농장에서 오렌지를 따다가 팔이 부러진 호기심 많은 소녀 알렉산드리아는 어느 날 사고로 하반신이 마비되어 병원에 입원한 스턴트맨 로이를 만나게 된다.

로이는 자신에게 모르핀을 훔쳐다주는 알렉산드리아에게 세상 끝 먼 곳에서 온 다섯 전사가 오디어스라는 독재자에게 복수를 하는 환상적인 이야기를 들려준다. 로이의 이야기는 알렉산드리아의 상상 속에서 병원의 직원들과 환자들이 주인공으로 등장하는 몽환적인 영상으로 번역되어 스크린 위로 펼쳐진다. 정신이 병든 남자 주인공과 어린 소녀가 나누는 정서적 교감이 그들이 주고받는 환상적인 이야기와 병치되는 〈더 폴〉의 액

자식 구성은 여러 면에서 《아라비안나이트》를 연상하게 한다. 사실 로이의 이야기 속 세계가 유럽과 아랍이 뒤섞인 풍경을 보여준다는 점은 〈더 폴〉이 《아라비안나이트》로부터 영감을 얻었음을 드러낸다.

하지만 〈더 폴〉은 가장 핵심적인 구성에 있어 《아라비안나이트》와 다르다. 《아라비안나이트》에서는 세헤라자데가 병든 왕에게 이야기를 들려주었지만, 〈더 폴〉에서는 삶을 저버리고 약물에 중독된 로이가 어린 알렉산드리아에게 이야기를 들려준다. 또한 샤푸리 야르 왕이 세헤라자데의 이야기가 끝나지 않기를 바랐던 것과는 달리 로이는 자신의 이야기를 모두의 죽음으로 단숨에 끝맺고자 한다. 로이는 자신의 이야기의 결말을 다시 삶의 영역으로 돌려놓지 않고, 영원히 죽음의 심연 속으로 떨어지기를 욕망한다. 세헤라자데의 천 일간의 이야기는 삶을 구원하기 위한 것이었지만, 로이가 모르핀에 취해 들려주는 이야기는 삶을 끝내기 위한 것처럼 보인다.

이러한 전도된 관계는, 로이가 오디어스에게 붙잡힌 다섯 명의 전사들을 무자비하게 죽이려 하자 알렉산드리아가 그것을 받아들이지 못하고 끼어들면서 뒤바뀌게 된다. 삶의 무의미함과 죽음에의 충동에 도취된 로이의 무의식은 이야기 속 다섯 명의 전사들을 독재자 오디어스에게 사로잡혀 죽임을 당할 위기로 몰아넣는다.

설상가상, 짝사랑하던 여자 간호사가 실은 자신의 담당 의사와 그렇고 그런 사이임을 알게 된 로이는 더욱 절망에 빠져 네 명의 전사를 차례로 살해하고, 알렉산드리아의 상상 속에서 로이로 등장하는 '블랙 밴디트'마저

영화 〈더 폴〉에서 알렉산드리아는 왜 직접 로이의 이야기 속으로 들어가게 되었는가?

위기에 빠지게 만든다. 영화는 현실 속의 로이가 절망할수록 알렉산드리아의 상상 속 풍경들이 더욱 침울한 색채로 변해감을 보여준다. 로이의 감정이 이야기라는 매체를 타고 알렉산드리아의 가슴에 와닿은 것이다.

이야기를 통해 로이의 마음을 이해하게 된 알렉산드리아는 더 이상 그의 절망적인 이야기를 보고만 있을 수 없었다. 알렉산드리아는 로이가 마지막 전사마저 희생시키려는 순간 그의 말을 끊고 이야기에 개입한다. 알렉산드리아는 '이건 내 이야기이니까!'라고 고집을 피우는 로이에게 '이건 내 이야기이기도 해요'라며 스스로 '작은 밴디트'가 되어 이야기 속으로 들어간다. 작은 밴디트는 블랙 밴디트를 도와 독재자 오디어스를 물리친다.

〈더 폴〉에서 알렉산드리아는 《아라비안나이트》의 샤푸리 야르 왕과 같이 죽음 충동에 사로잡힌 로이를 자신의 이야기를 통해 구원한다. 세헤라자데가 이야기를 들려줘 병든 왕을 고쳐줬다면, 알렉산드리아는 이야기를 들어주고 그것에 동참함으로써 로이의 아픈 마음을 치료해준다. 알렉산드리아에게 이야기는 욕망의 대리충족을 위한 것이라기보다는 자신의 욕망을 표현하기 위한 수단이다. 알렉산드리아의 욕망은 이야기를 통해 로이의 절망과 만나게 되고, 서로의 교감은 로이의 아픔을 어루만져준다.

균열 속에서 작동하는 무의식은 상상력의 근원이다. 영국의 철학자 흄은 상상력을 서로 다른 관념들을 결합하여 현실에서 감각될 수 없는 새로운 관념을 만들어내는 능력이라고 말했다. 따라서 현실의 인과관계를 무시하고 자유연상을 시도하는 무의식은 상상력이 유래하는 공간이다. 〈더 폴〉에서 이야기를 통해 죽음과 무의식의 공간으로 들어가는 입구를 열어놓은 이는 로이였다. 하지만 그 속에서 현실에 속박된 인물들에게 새로운 성격과 능력을 불어넣는 이는 알렉산드리아이다. 소녀는 자유연상을 가능하게 하는 이야기의 상상적 힘을 통해 현실에 새로운 가능성을 부여한다. 이러한 알렉산드리아의 작업은 시적 창조행위이다. 소녀는 현실의 질서가 허용하지 않는 상상들을 이야기 속에서 발견해내고, 그것들을 현실의 요소들과 결합시켜 현실을 더욱 풍요롭게 만들고 있기 때문이다.

〈더 폴〉은 말하는 이의 욕망과 듣는 이의 욕망이 뒤섞여 들어가는 이야기 매체의 현대적 속성을 반영하고 있다. 현대의 이야기들은 다양한 방식으로 청자에게 직접 이야기에 참여할 기회를 제공한다. TV 드라마의 결말을 변화시키는 인터넷 게시판은 시청자를 이야기에 개입시키는 새로운 통로이다. 새로운 이야기 매체로 떠오르고 있는 네트워크 테크놀로지들은 현대의 청자들에게 적극적인 이야기 듣기를 요구하고 있다. 이제 이야기를 듣는 행위는 자신의 욕망을 이야기로 투사하는 적극적인 표현 행위가 되었다. 이야기 듣기가 곧 시작(時作)인 상상력의 시대가 온 것이다.

세상에서 가장
상상적인 이야기

이야기의 시적 창조는 죽음의 세계 속에 잠재되어 있는 무한한 가능성을 현실로 끌어오는 행위이다. 그런 점에서 죽음은 '무'가 아니다. 신화 속 죽음의 세계는 인간의 무의식과 마찬가지로 차이가 없는 세계이다. 현실 세계를 살아가는 인간들은 타자와의 차이를 통해 자신의 동일성을 확인하고 자신과의 차이를 통해 타자를 인식한다.

앞에서 진보의 핵심으로 언급했던 체계화란 이러한 차이의 위계가 더욱 세밀해지는 과정과 다름없다. 그런 점에서 모든 차이가 사라지는 죽음의 세계는 차이를 통해 자신과 타자를 인식하는 인간에게 있어 '무'의 세계이다. 하지만 반대로 말하면 어떠한 차이도 없는 무란 모든 새로운 차이가 가능할 수 있는 잠재적 근거이기도 하다. 이야기의 시적 창조가 차이들이 해소되고 융합되는 죽음의 세계로부터 현실의 새로운 가능성을 발견하는 것임을 상기한다면, 현실 속에서 융합될 수 없는 차이들이 자유롭게 결합되어 등장하는 동화 속의 나라는 아마도 가장 상상적인 이야기들 중 하나일 것이다.

사실 동화란 이 세상에는 없는 그 무엇을 상상하는 이야기들이다. 현실은 배고프고 춥다. 국가 간 사람 간 전쟁과 갈등은 결국 먹을 것을 획득하기 위한 싸움이 아니었던가? 그래서 인간은 오래전부터 현실의 모든 고통과 질곡들이 해소된, 이 세상에 존재하는 않는 곳, 유토피아를 상상했다. 유토피아야말로 상상력의 보물창고이다.

그림동화집에 수록되어 있고 루트비히 베히슈타인이 변형시킨 판으로 잘 알려져 있는 〈슐라라펜란트〉는 아마도 상상력에 내재한 이러한 인간의 욕망이 가장 잘 표현된 이야기가 아닐까? '슐라라펜란트'는 '게으름뱅이와 바보의 나라'라는 뜻으로 먹을 것이 완전히 해결된 상상의 나라이다.

들어보세요, 여러분들에게 아주 좋은 나라에 대해서 얘기해드리겠습니다. 아마 그곳이 어디에 있는지를 안다면, 그리고 배를 타고 갈 기회가 있다면 아마 많은 사람들이 그곳으로 이주할 것입니다. 그러나 그곳으로 가는 길은 젊은이들과 노인들에겐 너무나 멉니다. 그들에게 겨울은 너무 덥고 여름은 너무 춥습니다. 이 멋진 곳이 바로 슐라라펜란트라고 하는 곳입니다. 그곳의 집들은 케이크로 덮여 있으며, 문과 벽은 과자로 되어 있습니다. 그리고 발코니는 구운 돼지고기로 되어 있답니다. …… 집 주위에 둘러쳐진 울타리는 구운 소시지와 바이에른산 소시지로 엮어져 있습니다. 사람들이 취향대로 먹을 수 있게 어떤 것은 구워져 있고 어떤 것은 삶은 것입니다. 모든 샘들은 포도주로 가득 차 있으며 샴페인도 있습니다. 그것들에 빨대만 대면 입으로 흘러들어옵니다. 자작나무와 버드나무 위에는 막 구운 빵이 자라고 있으며 나무들 밑에는 우유의 강이 흐르고 있습니다. …… 물속에는 굽거나 절인 생선이 헤엄치며 게으른 사람이 부르기만 하면 땅위로 올라와 손 위에 튀어오릅니다. …… 하늘에는 구운 새들이 날아다니며 손을 뻗치기도 싫은 사람에게는 새들이 입 속으로 바로 날아들어 옵니다. …… 땅 위에는 치즈가 자라고 있고 숲 속에는 갖가지 색깔의 옷들이 자라고 있습니다.

우리는 모든 노동으로부터 해방된 이러한 나라가 황당무계하고 완전히 허구라는 것을 안다. 그럼에도 인간은 끊임없이 그러한 유토피아를 상상해왔다. 얼마나 배고팠으면 이런 나라를 상상했을까? 상상력은 배고픔이라는 인간의 가장 원초적인 욕구로부터 탄생한 것이다. 배고픔은 곧 죽음이다. 반면 죽음의 세계에서 배고픔은 더 이상 아무런 의미가 없기도 하다. 죽음의 세계에서는 먹을 것과 먹지 못하는 것의 차이가 더 이상 존재하지 않기 때문이다. 슐라라펜란트는 배고픔이 안내한 죽음의 세계로부터 음식과 비(非)음식의 구별이 사라진 이상적인 세계를 삶 속으로 끌어들이려는 상상이다.

그런 의미에서 '가장 상상적인 것은 가장 현실적인 것'이라는 명제가 성립될 수 있다. 극과 극은 통하는 것이다. 로마의 작가 오비디우스가 쓴 《변신 이야기》에도 슐라라펜란트와 유사한 원초적인 파라다이스 상태가 황금시대로 묘사되고 있다.

최초로 생긴 것이 황금시대이니 거기에는 복수하는 사람도 없으며 사람들은 법이 없어도 자발적으로 신의와 법을 지켜나갔다. 거기에는 징벌과 공포도 없었으며 위협하는 말 따위는 그 어디에도 쓰여 있지 않았다. 또한 청원하는 사람들은 재판관의 언도를 두려워하지 않았으며 그들에게 복수하는 사람도 없었다. 그곳에서는 아직 소나무 한 그루 베어진 적이 없으며, 사람들이 먼 나라를 방문하기 위하여 그들이 살고 있는 산에서 바다로 내려가지도 않았다. 그래서 사람들은 자기들이 살고 있는 그 해변 말고는 다른 어떤 해변도 알지 못했다. 급경사로 된 무덤들이 아직 도시를 에워싸고 있지도 않았다. 금속으로 만든 반듯한 모양의 악기 튜바도 없었으며 쇠를 휘어서 만든 호른도 없었다(모두 전쟁에서 사용되는 것임). 사람들은 군대가 없이 한가로운 가운데 안전하게 살고 있었다. 사람들은 아무 의무도 지지 않았으며 대지는 곡괭이나 쟁기질을 하지 않아도 모든 것을 스스로 제공해주었다. 사람들은 들판에서 자라고 있는 먹을 것에 만족했고 어느 누구의 강요도 받지 않고 가시덤불에 열려 있는 각종 산딸기들을 따서 모았으며 주피터가 키운 나무에서 떨어지는 도토리를 모았다. 그곳은 항상 봄이었고 부드러운 서풍이 따뜻한 바람결로, 씨를 뿌리지 않았는데도 자라난 꽃들을 어루만져주었다. 그러면 곧 쟁기질도 하지 않은 땅에서 결실을 거두게 되는 것이다. 그리고 다시 가꾸지 않아도 농토는 많은 곡식을 거두게 한다. 그래, 그곳엔 우유의 강과 넥타의 강이 흐르고 있으며 푸른 자작나무에서는 꿀이 흐르고 있었다.

이러한 신화 속 황금시대나 낙원은 역사의 밖에 그리고 역사 이전에 존재하고 있는 것들이다. 그것은 자연이 인간에게 부여하는 풍요로움을 통해 걱정 근심 없고 편안한 삶을 묘사하고 있다. 여기서 상상력은 또다시 자연과 인간의 차이가 해소된 무의식의 세계를 호출하고 있다. 거기에서는 인간의 노동도 필요 없으며 더구나 자연과의 완전한 조화가 유지되기 때문에 갈등이나 소외 등은 존재하지 않는다.

그러나 과연 인간은 너무 조화로워 더 이상 발전할 필요조차 없는 이러한 상상의 나라에서 진정 행복할 수 있을까? 먹을 것이 완전히 해결되어 노동을 하지 않는다고 해서 아무런 문제가 없는 것인가? 결코 그렇지 않다. 인간이 미래적 완성을 향해 끊임없이 나아가는 존재인 한 그 어떤 상상의 나라도 완결된 것일 수 없다. 거기로부터 또다시 인간은 '아직 존재하지 않는 것'에 대한 무한한 동경의 여행을 떠나는 것이다.

상상의 나라는 완결과 개방의 영원한 변증법에 묶여 있기에 상상된 세계는 항상 열려 있고 불확정적이다. '아직 존재하지 않는 것'에 대한 미련은 우리를 영원히 기만할 것이다. 그래서 희망을 상상하는 것은 절망이나 위안의 다른 말일지도 모른다. 희망이 우리를 잡아두고 있는 것은 그것이 성취되지 못한 무엇으로서 이루어져 있는 욕망이기 때문이다. 희망은 완결된 이상에서 나오는 것이 아니라 미래를 향한 변혁 의지 자체에 소재하고 있다. 그래서 우리는 희망을 품기 위해서는 보다 나은 세계를 향한, 세대를 거듭한 꿈들이 여전히 미완성임을 인식해야만 한다. 그래서 인간은 영원히 상상하는 존재인 것이다.

상상은 끝나지 않을 혁명이다

상상이 단지 현실과 반대되는 허구적 공간이나 국가를 꿈꾸는 것이라면, 그래서 그것을 환상 속의 대리만족을 위해서만 소비한다면, 현실의 결핍은 동화의 기만적 기능에 은폐되어 여전히 인간들을 고통스럽게 만들 것이다. 〈더 폴〉의 로이처럼 죽음과 무의식으로만 침잠하는 이야기는 결과적으로 삶을 저버리고 만다. 반면 죽음을 경유하여 삶의 공간에 전리품을 풀어놓는 수많은 영웅 신화들은 이야기가 현실을 변화시킬 사명을 가지고 있음을 역설한다. 이야기는 때때로 구체적인 혁명성을 함의하고 있는 것이다.

다음에 소개되는 남아메리카 인디언 동화는 삶을 변화시키려는 의지가 이야기에 내재해 있음을 보여주고 있다.

어느 추장의 부인이 남편에 대해 부정을 저질렀다. 그러나 그녀는 자신의 죄를 뉘우치기는커녕 오히려 오만한 자기 남편보다도 더 오만하게 굴었다. 그녀의 상대자는 '검은 표범'이었다. 그녀는 목욕장에서 다른 부인들에게 말했다.

"많은 사람들이 말하기를 결혼은 보호라고 한다. 그러나 나는 결혼을 비천한 종속이라고 생각한다. 차라리 나는 죽고 싶다. 우리가 사랑에 대해서 무엇을 알 수 있겠는가? 우리는 우리의 모든 나날들을 고통 속에서 보낸다. 오늘도 노동, 내일도 노동. 항상 노동과 고통뿐이다. 나와 함께 이 고통스러운 종의 상태에 맞서자."

유감스럽게도 이 선동적인 호소를 숲 속에 숨어 있던 세 명의 남자 전사들이 들었다. 남자들은 '검은 표범'을 죽여서 마을에 매달아놓고 여성들을 모욕하기 위하여 사람들로 하여금 '검은 표범'의 시체 옆을 지나가게 했다. 이 잔인한 행동이 여성들의 반란으로 이어진다. 추장 부인의 손에 떨어진 핏방울들이 그녀의 복수심을 불타오르게 했다. 그녀는 외친다.

"우리의 가슴은 복수에 불타고 있다. 남자들은 우리에게 잔인한 짓을 저질렀다. 더 이상 묻지 마라. 내가 여러분들을 이끌겠소. 당신들은 해방되어야 한다."

성공적인 사냥을 위한 잔치에서 여자들은 남자들을 독살하고 시체 옆에서 춤을 춘다. 많은 어머니들이 아들들을 데리고 숲 속으로 도망갔다. 숲 속으로 여성들이 행진한다.

"이제 기뻐하라 여성들이여, 너희는 해방되었다. 남편이 너희를 결코 지배하지 못할 것이다. 너희가 나를 따르면, 아무도 너희를 때리지 못할 것이다. 너희를 억압하지 못할 것이다. 그리고 너희를 조롱하지 못할 것이다."

여성들은 먹을 것과 무기를 가지고 숲 속을 행진한다. 때로는 남성들의 공격도 받지만 거기에 가담한 불만에 가득 찬 부인들의 수는 점점 불어난다. 한번은 여성들이 마을들을 습격하고 남성들을 몰아내고 구타하기도 했다. 반면에 아들을 지키고자 하는 여성들은 뜻대로 남도록 했고 딸을 가진 여자들은 자기들을 따르라고 요구하기도 했다. 또한 그들은 분노한 남성들에 의해서 공격을 당하며 죽고 사로잡히기도 한다. 그 여자들은 이전의 종속상태로 되돌아가는 것보다는 영웅적인 죽음을 택했다. 한 경험 많은 남자 전사가 다음과 같은 말로 이 무의미한 피바다를 종식시킨다.

"우리가 얻는 것이 무엇인가? 남자를 적으로 생각하는 여자가 남자에게 무슨 소용이 있단 말인가? 그들이 가도록 내버려둬라!"

마지막 3단계에서는 유토피아적인 상태가 구성된다. 여자들은 저물어 가는 태양을 향하여 계속 행진했고 모든 위험을 통과하여 여행이 끝났을 때는 이방인으로서 정주하게 된다. 기나긴 여행 후에 아마조네스의 유토피아가 건설되었고 새로운 공동체의 법규가 정해진다.

"남자들이 나그네로서 우리에게 올 경우 그들을 애인으로서는 환영한다. 그러나 어떤 남자도 우리나라에 정주할 수는 없다. 우리에게서 난 아들들은 내보자. 그러나 우리가 딸을 낳으면 기꺼이 우리의 후계자로 키우자."

이 동화는 그 딸들이 아직도 이 법을 지켜나가고 있다는 말로 끝난다.

아마조네스 이야기는 상상력의 혁명적 에너지를 보여준다. 이 이야기에서 추장의 부인이 관계를 맺은 '검은 표범'은 자신을 억압하는 남편의 대체물이 아니다. 여성을 남편의 소유물로 종속시키는 가부장적 사회질서는 여성의 성적 욕망을 억압하는 체제이다. 그러한 억압하에서 여성들은 그들의 욕망을 체제의 바깥으로 분출시켰고, 그 욕망이 다다른 '검은 표범'으로부터 자신과 대자연의 동질성을 확인할 수 있었다. 따라서 '검은 표범'은 개인과 타자 간의 모든 차이가 해소된 대자연에 대한 은유이다. 아마조네스 이야기는 '검은 표범'으로 대변되는 대자연의 마술적인 힘을 통해 여성을 억압하는 사회체제의 모순을 드러내고, 그것을 갱신하고자 하는 힘을 내포하고 있다. 사회가 만들어놓은 규정과 경계를 뛰어넘어 무한한 대자연으로 향하는 이 이야기는 혁명의 형태로 이어진다.

상상은 어떻게 혁명이 될 수 있는가?

모든 상상은 현실과 더 나은 세상이라는 구도 속에서 작동되고 있다. 상상은 나쁜 현실과 더 좋은 세상이라는 수레바퀴를 영원히 돌리고 있는 운명을 가지고 태어났다. 그래서 상상은 영원하며 혁명적이기도 하다.

작은 클립 하나에서
시작된 상상

이야기는 억압과 결핍으로부터 시작되었다. 슐라라펜란트는 배고픔에서 상상되었고, 아마조네스는 억압적인 가부장제도에서 상상되었다. 수천 년을 거쳐 민중들의 입에서 입으로 전해 내려온 수많은 설화나 이야기들은 그들이 처해 있던 결핍을 상상적으로 해소하는 기능을 했다. 이야기는 때때로 혁명적 가능성을 내포한 것이기도 하다. 슐라라펜란트가 단지 상상을 통해 배고픔을 잠시나마 속이기 위한 것이었다면, 아마조네스의 이야기에는 억압적인 제도를 뒤엎으려는 욕망이 숨어 있다.

하지만 대다수의 구전된 이야기들은 종교나 초자연적인 힘에 의지해 결핍을 환상적으로 해소한다는 점에서 자기위안의 수단에 그친다. 콩쥐를 구원해주는 신통력 있는 두꺼비나 신데렐라를 도와주는 호박마차 요정을 생각해보자. 그들은 결핍에 대한 현실적인 대안이기보다는, 결핍을 일시적으로 극복하게 해주는 제의적이고 마술적인 대상들이다. 한국의 전래동화인 〈혹부리 영감〉에 등장하는 도깨비 방망이 역시 그러한 마술적 대상이다. 억압받던 민중들은 무엇이든 뚝딱 만들어내는 도깨비 방망이를 이용하여 자신들의 비참함 삶을 상상 속에서 극복할 수 있었다.

슈퍼맨과 스파이더맨같이 초자연적인 힘을 가진 영웅들이 등장하는 영화가 수억 명의 관객을 극장으로 끌어들이는 현상을 보면, 현대의 이야기들 역시 도깨비 방망이와 같은 기능을 가지고 있다. 하지만 개개인에게 소비자로서가 아닌 이야기의 창조자로서 활동할 수 있는 가능성을 부여하는 현대의 네트워크 테크놀로지는 이야기를 또 다른 형태의 도깨비 방망이로 만들고 있다.

억압적인 현실 대신 일상 속의 소소한 즐거움들을 자기 자신의 목소리로 이야기할 수 있게 된 현대의 개인들은 허구 속의 보물을 상상을 통해 소유하는 데 만족하지 않는다. 그들은 이제 자신의 이야기를 팔아 진짜 보물을 손아귀에 넣는다. 《아라비안나이트》의 샤푸리 야르 왕은 단지 세헤라자데의 이야기를 경청하는 데 그치는 수동적인 위치에 있었던 반면, 영화 〈더 폴〉의 주인공 알렉산드리아는 자신이 직접 이야기 속에 개입하여 이야기를 변화시킴으로써 자신의 욕망을 드러낸다.

현대의 이야기 매체들은 더 이상 화자와 청자 사이의 위계적이고 단선적인 관계를 설정하지 않는다. 〈더 폴〉에서와 같이 청자가 화자이기도 한 현대의 이야기들은 개인의 욕망을 적극적으로 드러내고 해소하는 수단으로 변화해가고 있다. 이는 마치 도깨비 방망이와 같다. 특히 캐나다의 평범한 청년 맥도날드의 '빨간 클립 프로젝트'는 이야기가 현대적 의미의 도깨비 방망이임을 잘 보여주는 사례이다.

맥도날드에게 이야기가 약속하는 현실 속의 보물은 여자 친구와 함께 살 작은 집이었다. 하지만 그에게는 집을 구입할 만한 경제적 능력이 없었다. 그가 가지고 있었던 것은 단지 조그마한 빨간 클립 하나와 그것을 특별한 것으로 만들어줄 풍부한 상상력뿐이었다. 맥도날드는 자신의 사연이 녹아 있는 빨간 클립을 다른 값진 물건들과 교환하여 작은 집 한 채를 마련하겠다는 계획을 세웠다.

그는 블로그를 통해 자신의 소박한 꿈을 담은 빨간 클립을 펜이나 스푼 등의 물건과 교환할 것을 희망한다고 알렸다. 이틀 후 맥도날드는 밴쿠버

에 사는 한 사람에게서 연락을 받았다. 자신이 가지고 있는 물고기 모양의 펜과 **빨간 클립**을 교환하고 싶다는 것이었다. 맥도날드는 직접 밴쿠버에 찾아가서 클립과 펜을 교환했다. 그들이 교환한 것은 몇 백 원도 안 되는 사소한 물건들이었지만, 그들이 교환한 이야기들은 밴쿠버까지의 교통비보다 훨씬 더 값진 것이었다. 맥도날드의 블로그에는 이 펜이 어떤 물건인지, 그리고 원래 주인이 어떤 사람이었는지에 관한 상세한 이야기가 사진과 함께 첨부되어 있다.

'빨간 클립 프로젝트'의 첫 번째 교환이 성공적으로 이루어진 그날, 두 번째 교환을 원하는 사람이 나타났다. 이번에는 미국이었다. 시애틀까지 직접 찾아간 맥도날드는 웃긴 얼굴 모양을 하고 있는 문고리와 물고기 모양의 펜을 교환했다. 맥도날드는 사람의 얼굴 형상의 문고리에, 거리를 지나가는 사람들에게 말을 건네는 신기한 문고리에 대한 상상적 이야기를 부여했다. 맥도날드의 이야기들은 물질적 교환가치로는 평가될 수 없는 상상적 부가가치를 생산했다. 그 문고리 속에는 '여자 친구와 함께 살 집'이라는 맥도날드의 소망과 그 소망을 가능하게 해준 빨간 클립에 대한 이야기, 그리고 밴쿠버에 살던 물고기 모양의 펜을 사용하던 한 사람의 이야기가 녹아 있기 때문이다.

이후 맥도날드는 얼굴 모양의 문고리를 바비큐 파티용 스토브로, 스토브를 캠핑용 발전기로, 발전기를 파티용 맥주와 네온사인으로 교환했다. 교환이 반복될수록 물건들과 관련된 이야기들은 더욱 풍부해져갔다. 시장에서 상품 교환을 하려면 다른 물건을 얻기 위해서 가지고 있던 물건을

맥도날드가 빨간 클립을 집 한 채로까지 교환할 수 있었던 비결은 무엇일까?

포기해야 한다. 모든 상품 교환에는 기회비용이 수반된다. 하지만 이야기의 교환에는 기회비용이 없다. 이야기는 교환이 진행될수록 더 많은 이야기를 만들어낸다. 맥도날드가 보잘것없는 빨간 클립으로 값비싼 물건들을 얻을 수 있었던 것은 반복될수록 무한 증식하는 이야기의 특징을 믿었기 때문이다.

맥도날드는 파티용 맥주와 네온사인을 몇 번의 추가적인 교환을 통해 피닉스 지방에 있는 주택의 1년 임대권과 바꿀 수 있었다. 상당한 금액의 값어치를 가진 주택 임대권은 그의 최초의 계획에 가장 근접해 보이는 것이었다. 이어서 그는 주택 임대권을 유명 가수인 앨리스 쿠퍼와의 데이트권과 교환했다. 유명 인사와의 데이트는 경우에 따라 고가로 교환되기도 하므로 그의 선택이 비합리적이라고 할 수는 없었다. 그러나 맥도날드가 앨리스 쿠퍼와의 데이트권을 '키스 스노 글로브(kiss snow globe)'라는 한정판 장난감으로 교환했을 때 사람들은 모두 놀랄 수밖에 없었다. 그는 물건의 시장가격보다는 그 물건이 가지고 있는 이야기의 가능성들을 더 높이 샀기에 일반인의 상식으로 이해할 수 없는 교환을 감행했다.

맥도날드는 '키스 스노 글로브(kiss snow globe)'를 한 영화 제작자가 제안한 영화 단역 출연권과 교환했다. 그리고 그것을 영화에 출연하는 것이 평생의 꿈이었던 한 중년 신사로부터, 키플링 지방의 자신 소유의 주택(4만 5000달러 상당)과 교환하는 데 성공했다. 빨간 클립으로부터 교환을 시작한 지 1년 반 만의 일이었다. 그는 불과 14번의 교환만으로 빨간 클립을 집 한 채로 바꾸는 데 성공했다.

맥도날드의 '빨간 클립 프로젝트'는 죽어 있는 물건에 생명을 불어넣는 이야기의 힘을 보여준다. 그는 사소한 물건들에 사랑, 기다림, 이별, 기쁨 등 인간의 감성적 테마들을 결합시킴으로써 소비자들의 마음을 움직였다. 소비자들은 단순한 교환가치로서가 아닌, 타인과의 소통 수단으로 '빨간 클립'을 구매했다. 맥도날드가 판매한 물건들은 오늘날 유행되고 있는 소위 감성 마케팅의 전형이다. '빨간 클립 프로젝트'에서 이야기는 모든 가치를 물화시키는 자본주의의 교환 행위에 인간적 소통의 가능성을 부여하고 있다.

우리는 소비 사회로 표현되는 현대의 자본주의가 인간을 교환가치로 물화하고 소외시킨다는 우려의 목소리를 심심찮게 듣는다. 하지만 기술적 네트워크를 기반으로 한 새로운 시장 형식은 소외가 아닌 소통으로서 교환의 새로운 가능성을 제시하고 있다. 새로운 교환의 장에서는 이야기라는 도깨비 방망이가 가치를 생산해낸다.

무에서 유를 창조하는 이야기의 힘

본질적으로 이야기란 사소한 빨간 클립에서부터 우주의 창조에 이르기까지 모든 존재자들에게 부여될 수 있는 것이다. 또한 이야기는 오직 상상력을 통해서만 창조될 뿐 별다른 재화를 필요로 하지 않는다. 경제학적으로 보자면, 기회비용이 들지 않는 이야기는 교환 자체만으로도 가치를 생산해낸다. 이러한 이야기의 특징은 상품화될 수 있는 모든 사물들에 무한히 증대 가능한 부가가치를 부여한다. 문화, 지식, 정보, 자원, 자연, 심지어 사람의 마음마저도 상품이 될 수 있는 현대사회에서 이야기의 중요성이 부각되는 이유에는 이러한 배경이 있다. 자연 혹은 도시의 문화에 사람의 마음을 자극하는 감성을 부여하여 상품을 생산해내는 문화산업은 무에서 유를 창조하는 이야기의 힘이 특별히 강조되는 영역이다.

우리가 접하는 도시의 수많은 문화 행사들 중에 두고두고 기억에 남는 것은 몇 개나 있을까? 문화와 예술의 시대에 맞춰 수많은 행사들이 기획되어 우리의 눈을 어지럽게 하지만 그것에 대한 기억은 오래 남지 않는다. 그 이유는 수많은 문화 행사들이 스펙터클만을 보여주고 기억에 각인될 만한 스토리텔링을 전달하지 않기 때문일 것이다. 모든 문화예술 기획에 상상력이 동원되지만 그것이 어떤 상상력인가에 따라 관객들의 마음을 사로잡는 정도가 달라진다. 단순히 스펙터클을 보여주는 데 그치지 않고 거기에 '이야기'를 부여하면 하나의 행사는 관객들의 가슴에 두고두고 간직될 동화가 될 수 있다. 영국의 공공예술 기획사 '아티초크 프로덕션스 (Artichoke Productions)'는 스토리텔링과 문화예술 행사를 결합하여 회색 도시를 동화의 세계로 만들어왔다.

런던을 상징하는 빨간 2층 관광버스에 커다란 소녀가 앉아 있다. 성인보다 몸집이 몇 배나 더 큰 소녀는 버스에 한가롭게 앉아 시내를 구경하고 있다. 심지어 버스 안의 한 관광객은 런던의 풍경을 찍는 대신 이 신기한 소녀를 카메라에 담고 있다. 이 소녀는 목각으로 만들어진 자동 마리오네트 인형이다. 이 날 이 소녀 말고 또 거대한 무언가가 런던 시내를 돌아다니고 있었다. 그것은 인디 왕국의 임금님을 태운 거대한 코끼리 기계였다. 이 거대한 코끼리를 탄 임금님은 이국적인 자태를 뽐내며 마리오네트 소녀를 찾아 런던 시내를 헤매고 있었다. 왜 임금님은 마리오네트 소녀를 애타게 찾고 있을까? 인디 왕국의 사람들이 어떻게 해서 2007년의 런던 거리를 돌아다니게 된 것일까? 그 배경에는 재미있는 사연이 있다.

임금님은 어느 날부턴가 매일 밤 시간을 넘나드는 나무인형 소녀의 꿈을 꾸었다. 임금님은 소녀의 능력이 너무 탐나고 신기해서 점점 꿈속에 빠져 살게 되었다. 임금님이 환상에 빠져 밥도 안 먹고 앓아눕게 되자 온 백성이 걱정하기 시작했다. 임금님은 앓고 있으면서도 계속 시간을 넘나드는 소녀를 따라가고 싶다고 애타게 말했다.

왕국 최고의 기술자는 임금님의 소원을 들어주기 위해 소녀를 찾을 수 있는 타임머신을 만드는 데 착수하였다. 그는 타임머신을 만들기 위해 코끼리에게 몇 달간 쇠붙이를 먹였다. 그러자 쇠를 잔뜩 먹은 코끼리는 시간을 넘나드는 마법의 코끼리가 되었다. 타임머신이 완성되자 임금님과 왕비들, 기술자 그리고 마녀는 시간을 넘나드는 소녀를 따라잡기 위한 모험을 펼치게 된다. 이들은 코끼리를 타고 달나라에 가기도 하고 바다 속으로

그림 11 임금님의 코끼리.

들어가 거대 문어에 쫓기기도 한다. 계속 소녀를 따라가다가 이 들은 마침내 2007년의 런던에 도달하게 된다. 런던 시내를 배회하며 계속 소녀를 찾던 임금님은 마침내 소녀와 만나게 된다. 임금님과 소녀의 극적 인 만남에 런던 시민들은 환호했고, 임금님은 기쁜 나머지 소녀를 코끼리 에 태우고 퍼레이드를 벌였다. 거대 코끼리는 이리저리 몸을 흔들며 재롱 을 부리고 소녀는 시민들에게 손을 흔들었다. 왕비들은 환희에 젖어 이국 적인 자태를 뽐내며 춤을 추었다. 기쁨의 퍼레이드를 마친 그들은 다시 그 들의 고향인 인디 왕국으로 돌아갔다.

이 행사는 2007년 5월 4일 동안 런던에서 벌어진 '임금님의 코끼리(The Sultan's Elephant)'라는 문화 행사이다. 이 행사의 배경이 된 이야기는《80일 간 의 세계일주》의 작가인 쥘 베른의 동화로, 이 동화는 신비한 소녀를 쫓는 임금님과 마법 코끼리의 4일 동안의 여정을 그리고 있다. 만약 이 행사가 아무런 이야기 없이 그저 거대한 소녀와 코끼리의 행진을 보여주었다면 어땠을까? 관객들은 어릴 적 읽었던 동화가 눈앞에 펼쳐지는 환상을 체험 하지 못했을 것이다.

이 행사를 기획한 아티초크 프로덕션스는 관객의 몰입도를 높이기 위 해 행사가 진행되는 4일 동안 쥘 베른의 동화를 신문으로 발행해 나누어 주었다. 〈더 쥘 베른(The Jules Verne)〉이라는 이름으로 발행된 신문은 각 날짜 에 펼쳐진 임금님과 코끼리의 모험을 다루고 있다.

신문 첫 페이지를 장식한 거대 코끼리를 타고 떠나는 임금님, 바다 속에 들어간 코끼리의 모습 그리고 런던에 도착한 소녀의 모습들은 독자들에게 오늘 런던에서 펼쳐질 이야기가 과연 무엇일지 상상하게 만든다. 신문을 받은 관객들은 첫 페이지를 보고 설레는 마음으로 그것을 열어 봤을 것이다. 그리고 자신의 눈앞에 펼쳐진 임금님과 소녀의 모습을 통해 어릴

적 읽던 동화의 세계에 빠져버린 듯한 느낌을 받았을 것이다.

이제 영국의 또 다른 도시를 물들인 이야기 속으로 빠져들어보자. 거미가 있다. 그런데 자세히 보니 이 거미는 예사 거미가 아니다. 이 거미는 여느 거미들처럼 배수관에 붙어 기어다니는 것이 아니라 높다란 빌딩 외벽에 붙어 있다. 몸집도 빌딩 세 개 층을 가릴 만큼 거대하다. 거미의 이름 또한 거창하다. '공주님'이라 불리는 이 거미는 어쩌다 도시 한복판을 기어다니게 된 것일까?

공주님은 원래 영국 리버풀에 있는 어느 과학자의 실험실에서 조용히 살고 있었다. 그 과학자는 공주님이라는 예쁜 이름을 붙여주고 거미를 애지중지 다루었다. 공주님이 알을 낳을 시기가 되자 과학자는 그녀를 검역

거미공주는 어떻게
리버풀 시민을 열광시켰는가?

소에 맡긴다. 공주님은 사실 실험실에 있으면서도 항상 바깥세상이 궁금했다. 다른 거미들은 배수관을 통해 자유롭게 돌아다니는데 공주님은 실험실의 둥지 안에서 꼼짝도 할 수 없었기 때문이다. 검역소로 옮겨가게 된 공주님은 이때다 싶어 거리로 도망쳐 나왔다. 공주님이 크고 당당한 풍채를 드러내며 거리를 배회하기 시작하자 리버풀이 난리가 났다.

리버풀 시민들이 공주님을 보러 거리로 쏟아져 나왔다. 아이들은 공주님의 모습에 즐거워하기도 하고 무서워 소리를 지르기도 했다. 공주님이 하얀 입김을 뿜거나 물을 뿌리자 사람들은 더욱 열광했다. 관대하기까지 한 공주님은 사람들의 환대에 신이 나 리버풀 시내를 순회하며 사람들을 즐겁게 해주었다. 공주님은 이제 원 없이 세상을 구경했다. 눈 폭풍이 와 추위를 느낀 그녀는 여느 거미처럼 배수관을 타고 다시 집으로 향했다. 사람들은 공주님을 다시 만날 날을 기약하며 아쉬운 작별인사를 했다.

'임금님의 코끼리'를 기획했던 아티초크 프로덕션스가 2008년 영국 리버풀 시에서 기획한 이 행사는 춥고 삭막한 도시 속에 살고 있는 리버풀 시민들에게 동화의 세계를 선사했다.

영어권 아이들에게 거미는 동화나 동요에 자주 등장하는 친숙한 친구이다. "아주 작은 거미가 배수관을 타고 내려와요. 비가 내려 거미가 씻겨 나가네요. 해가 다시 떴어요. 아주 작은 거미가 다시 배수관을 타고 올라가요"라는 내용의 〈아주 작은 거미(Itsy Bitsy Spider)〉는 우리의 〈나비야 나비야〉처럼 영어권 사람들이 모두 아는 국민적 동요이다. 그리고 우리나라에 잘 알려진 《샬롯의 거미줄》을 비롯하여 거미가 등장하는 동화들도 무수하다. 이러한 동요와 동화들은 거미가 많은 주택에 살고 있는 영어권 국가의 아이들에게 거미를 무서워하지 않고 친구처럼 여길 수 있도록 해주기 위해서 만들어졌을 것이다. 따라서 영국인들은 거미를, 징그럽기는 해도 어릴 적부터 함께해 온 정든 친구로 여기고 있다.

거대 거미가 리버풀 시내를 배회하는 '공주님(La Princesse)' 행사를 통해, 아티초크 프로덕션스는 동화 속 거미 친구를 현실로 불러들였다. 많은 리버풀 시민들은 이 행사를 통해 잊지 못할 환상적인 경험을 했다고 전한다. 삭막한 도시가 스토리텔링을 통해 상상의 세계로 바뀐 것이다.

08

새로운 문자,
새로운 이야기

아래에, 도무지 내용을 알 수 없는 문자들이 나열되어 있다. 마치 컴퓨터 오류가 났을 때 뜰 것만 같은 이 문자들의 정체는 무엇일까?

정말 오류 메시지의 일종일까? 이 알 수 없는 메시지는, 현재 미국에서 사용하는 여러 가지 이모티콘들을 나열하여 어떤 이야기를 하고 있는 것이다. 이것이 바로 이모티콘 스토리이다. 이 글(?)의 경우에는 어떤 사건을 이야기하고 있으며, 그 사건의 주인공이라 할 수 있는 남녀, 특히 남자 쪽의 감정과 대화를 표현하고 있다.

한번 이 기이한 메시지를 해독해보자. 여기서 우선 O)-〈는 주인공 남자를 가리키며 Q〈=는 주인공 여자를 가리킨다. 10018은 이 사건이 일어난 장소이며, 아마 번지수인 것으로 추정된다. MTWThF는 이 사건이 일주일 중 목요일에 일어났다는 뜻이며, 02.28.08 7:55pm은 사건이 일어난 날짜와 시각을 말하고 있다. 즉 이 메시지는 2008년 2월 28일 목요일 오후 7시 55분, 10018이라는 장소에서 일어난 사건에 대한 내용이다. |*__*|은 카세트테이프를 의미하는데, 여기서는 여자가 걸어가며 카세트 음악을 듣는다는 뜻이다.

전체 내용을 해석하면 다음과 같다. 여자가 음악을 들으며 걸어가고 있는데, 남자는 자신이 이 여자에게 대시해서 긍정적인 대답을 얻

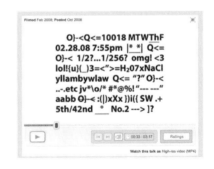

그림 14 이모티콘 스토리.

어낼 확률을 계산하고 있다. 즉 이 장면은 한 남자가 여자를 헌팅하려고 시도하는 장면이다. 남자는 계산한다. 1/2은 될까? 설마 1/256? 그것밖에 안 되는 건가? 그리고 크게 탄식한다. 'Oh, my god!'

남자는 생각한다. 뭐라고 말을 하면서 접근하면 효과적으로 접근할 수 있을까? 사랑한다고 말해야 하나. 결국 그러다 크게 웃는다. 처음 보는 남자가 갑자기 앞에 나타나서 사랑한다고 말하는 것만큼 황당한 상황이 어디 있을까. 무서워할지도 몰라. 그럼 어떡하지. "나는 당신을 안아주고 싶습니다"라고 해야 하나. 생각이 나질 않는다. 머리가 잘 돌아가질 않는다. 뭐라고 말해야 할까 계속 망설이다가, 결국 남자는 이렇게 말한다.

"당신을 머그잔에 그려 넣고 싶습니다. 거기에 꽃게를 집어넣은 다음 물을 넣을 겁니다. 그리고 거기에 일곱 가지 소금을 집어넣을까 합니다."

그런 다음 이렇게 말한다.

"당신은 인어공주처럼 생겼지만, 왈츠를 추며 걸어가네요."

여자는 "?"라고 한다. 무슨 말인지 알아들을 수가 없는 것일까? 남자는 말한다.

"제 심장이 뛰는 건 마치 모스 부호와도 같아요."

여자는 반응이 없다. 남자는 계속해서 말한다.

"네, 제가 가끔은 어린 치어리더 같기도 하죠. 저는 치어리더인 양 욕을 하기도 하고, 사람들과 대화할 때 어색한 침묵이 흐를 때도 있습니다. 사실 지금은 진정한 남자도 아닙니다. 단지 지금 난 (당신에게) 키스를 날리는 한 마리의 원숭이입니다. 나비 같기도 하구요."

남자는 말한다.

"내일 5th/42nd 길에 있는 남서쪽 코너에서 만나요. 당신이 올 때까지 기다릴게요. 혹시 장소를 적으시려면, 연필을 빌려드릴까요? 아니면 폰에 저장하시겠어요?"

* omg! : Oh, My god!
* <3은 오른쪽으로 보면 ♡, 사랑을 의미한다.
* lol : Laugh out loud!
* {u}는 { }는 팔 모양을 말하며, u는 You를 의미한다.
* (_)3은 손잡이가 달린 머그컵을 의미한다.
* =<">=는 꽃게를 가리키며, H_2O는 물을 가리킨다.
* 7xNaCl: 7 x NaCl
* yllambywlaw : You look like a mermaid. But you walk like a waltz의 줄임말.
* ..-.etc, 여기서 etc가 붙은 것은 모스 부호의 무한 반복을 말한다.
* jv*\o/*, 여기서 *은 치어리더들이 손에 들고 응원할 때 쓰는 도구이며, \o/는 팔과 머리를 나타낸다.
* #&@%!은 욕설을 의미한다.
* "__ __"은 침묵을 의미한다.
* (xXx)는 키스를 의미하며, :(|)는 원숭이를 의미한다.
* })i({는 나비를 의미한다.

* SW .+: South-West
* ㅇ은 장소에 계속 서 있는 것을 말한다.
* No.2는 한국의 2B 연필과 비슷하다.
* ---)]는 핸드폰에 저장하는 모양을 표현한 것이다.

사실 이 메시지에 딱히 어떤 중요한 내용이 들어 있다고 보기는 어렵다. 우리에게 남자가 과연 성공했는지는 사실 그리 중요하지 않은 문제이며, 대화가 정말 당혹스러운 어구들을 반복하고 있다는 것도 별개의 문제다. 그것은 남자의 대화 능력 문제일 뿐이며, 우리가 알고자 하는 바와는 상관없다. 다만 여기서 중요한 것은, 이 메시지가 이모티콘이라는 도구를 사용하여 스토리텔링을 시도했다는 사실 자체이다.

일반적으로 스토리텔링은 문자를 통해서 어떠한 이야기를 전달하는 것을 말하는 경우가 많다. 그러나 이 경우, 이모티콘이라는 새로운 언어를 사용하여 이야기를 전달하고 있다. 이러한 새로운 형태의 스토리텔링은 어떻게 보면 상당히 혁신적인 시도이며, 또 한편으로는 문자라는 기존의 체계를 거역하고 무시하는 파괴적 행위로 보일 수도 있다. 문자도 아닌 것이, 그렇다고 그림이나 영상 같은 다른 매체도 아닌 것이 기존 언어의 권위를 침범하고 도전하고 있는 것이다.

도대체 문자라는 것은 어떻게 발명되었으며, 최초의 문자는 어떤 형태였을까? 4대 문명에서 처음 발현되었던 문자들을 생각해보자. 이집트 문명의 신성문자, 황하 문명의 갑골문자, 인더스 문명의 그림문자 등은 지금

그림 15 (좌). 인더스 문명의 그림 문자와 이집트 문명의 신성 문자.
그림 16 (우). 중국 나시족의 동파문자.

의 문자 관점에서 생각해보면 문자라고 할 수 있는 것들일까?

인더스 문명의 문자 같은 경우에는 그림과 거의 차이를 느낄 수 없으며, 이집트나 황하 문명의 문자 같은 경우에도 그것을 추상화시킨 것 이상을 넘어서지 않는다. 단지 컴퓨터와 키보드라는 매체를 사용하지 않았을 뿐, 그 맥락 자체는 이모티콘과 큰 차이를 보이지 않는다. 이러한 관점에서 본다면, 현대에 나타난 이모티콘 또한 인터넷상에서 사용되는 표의문자의 일종이라고 해석할 수도 있지 않을까?

여기 또 하나의 그림이 있다. 뭔가 아무리 봐도 그림들의 나열, 그 이상을 넘어서지 않는 느낌이다. 하지만 잘 살펴보면 아, 이 그림이 무슨 의미를 가지는구나, 지금 어떤 이야기를 하고 있구나 등을 어느 정도 짐작할 수 있기도 하다. 사실 이 그림들은 실제로 현대에 사용되고 있는 소수민족의 문자이다. 그것은 현대까지 유일하게 사용되고 있는 상형문자로 알려진 중국 나시족(納西族)의 동파문자(東巴文字)이다.

동파문자는 어찌 보면 정말로 단순하다. 이 그림문자는 어떠한 사물, 상황에 대해 직관적이며 노골적으로 표현하고 있다. 임신한 여성을 사람

모양의 배를 그리고 그 속에 작은 사람이 들어간 모양으로 표현하며, 죽음이란 단어를 혈색이 없어져 새파랗게 변한 사람 얼굴로 표현하고 있다. 정말 지극히 단순한 표현 방식이다.

그러나 이 문자가 표현하는 대상이 단순히 보이는 대상들로 한정되는 것은 결코 아니다. 고통이란 단어는 검은 것을 토해내는 인간으로 표현되고, 행복이란 단어는 춤추는 남녀의 모습으로 표현한다. 현재까지 밝혀진 동파문자의 수는 1400여 개에 달하며, 이 문자들로 나시족들은 수많은 내용들을 표현하고 있다. 그들이 동파문자를 사용하여 쓴 동파경의 수는 오늘날 확인된 것만도 1만 4000여 권에 이른다. 그 내용 또한 단순한 자연의 사물에 대한 내용부터 시작하여 전쟁, 송사 등 사건들에 대한 설명과 심지어 우주란 무엇인가, 세상의 진리와 같은 철학적인 내용까지 다양하고 그 폭이 넓다.

그렇다면 그림 형태로 이야기를 표현하는 이모티콘 역시 동파문자와 같은 잠재적 가능성을 가지고 있는 것은 아닐까? 이모티콘은 문자의 조합을 사용하는 과정에서 상형문자처럼 어느 정도의 추상화 과정을 거친 형태이다. 이는 어찌 보면 기존의 문자 체제상에서 과거, 초기 문자 형태로의 회귀를 보여주는 것일 수도 있다. 특기할 만한 점은, 이 이모티콘이라는 수단이 생각 외로 효과적이라는 것이다.

사실 문자로 웃음 등의 감정을 표현한다는 것은 상당히 어려운 문제이다. 웃는 소리를 흉내내어 '하하, 호호' 등의 문자로 표현된 것을 보고 우리는 '웃는구나'라는 간접적인 느낌을 받을 뿐 정말 웃고 있구나 하는 느낌을 받지 못하는 경우가 많다. 이런 이유 때문일까. 실제로 소설책들에서 웃음 소리를 정말로 소리 내어 적는 경우는 매우 드물다. 단순히 문자를 통해 감정을 제대로 전달하는 것이 결코 쉬운 일이 아니기 때문이다. 영상이나 사진 또한 마찬가지이다. 물론 소리와 영상이 같이 있다면 어느 정도 충실한 감정 전달이 가능할 것이다. 그러나 생각 외로 사람들은 상대의 표정과 모습을 보고 그가 느끼고 있는 감정을 정확히 파악하지 못하는 경우가 많다.

캘리포니아 대학의 명예교수이자 비언어 의사소통 전문가인 폴 에크먼의 저서 《얼굴의 심리학》에서는 여러 개의 표정들을 보여주고 이를 통해 표정을 읽어볼 수 있는 테스트를 제공한다. 그러나 대부분의 사람들이 사진의 표정을 보고 대상 인물이 느끼는 감정을 제대로 파악하지 못하며, 저자 또한 그렇기에 훈련이 필요하다고 주장하고 있다.

더 간단한 예로, 영화를 볼 때 소리를 끄고 맥락을 전혀 모르는 상태에서 하나의 장면만을 보자. 지금 영화 속의 인물은 어떤 감정을 표현하고 있을까? 우리는 상대가 느끼는 감정을 문자는 물론 심지어 사진이나 영상과 같은 화상 매체를 통해서 보더라도, 그 맥락을 모르는 상태에서는 제대로 파악하지 못하는 경우가 대다수이다.

그러나 이모티콘은 다르다. 이모티콘(emoticon)이라는 단어가 왜 하필 감정을 뜻하는 'emotion'과 'icon'의 합성으로 이뤄진 것일까. 이는 이모티콘이 그만큼 감정 전달에 더 효과적인 방법이기 때문이다. 무엇보다 이모티콘은 즉각적으로 상대가 어떤 감정을 표현하는지 알 수 있다. 추상화되었지만 명확한 의미를 가진 기호를 통해 전달하기 때문이다. 또한 문자

보다 즉각적으로 표현할 수 있고 형식성이 약한 만큼, 좀 더 생생한 감정을 표현하기에 적합하다.

'하하'라고 일일이 치는 것보다 'ㅋㅋㅋ'라고 치는 편이 아무래도 정제된 측면이 적고, 좀 더 노골적인 전달이 가능한 것이다. 감정이라는 것은 이성의 작용에 의한 것이 아니라 특정 자극에 대한 직접적인 반응의 성격이 더 강한 만큼, 정제 과정을 거친다면 그만큼 상대방에게 전달되는 강도 또한 약해질 수밖에 없기 때문이다. 이 점에서 이모티콘은 화상 매체의 한계였던 명확성과 문자 매체의 한계였던 즉각성을 모두 극복할 수 있는 새로운 언어라고 할 수 있다.

우리는 이제까지 문자라는 틀에 지나치게 얽매여 살아왔다. 아니, 정확히는 우리가 생각하고 있는 이미지의 문자가 가지고 있는 틀에 얽매이고 있는지도 모른다. 우리가 아는 문자는 소리를 특정한 기호로 표기하는 표음문자와 각각의 의미를 하나의 기호로 표기하는 표의문자로 나뉜다. 그러나 정말 문자는 이 두 가지 형태로만 가능한 것일까? 다른 형태의 문자는 존재할 수 없을까? 수많은 SF나 판타지물에 나오는 인간이 아닌 외계인이나 타 종족들조차, 우리와 똑같은 형태의 언어로 말한다. 그들은 유달리 영어 또는 알파벳 언어를 많이 구사한다. 심지어 《반지의 제왕》의 저자 톨킨이 창조해낸 미들랜드의 종족들 역시 영어와 다른 언어와 문자를 사용하고 있다고는 하지만, 결국 그들도 표음문자의 단계를 벗어나지 못하고 있다. 우리의 상상이 기존 언어의 틀을 벗어나지 못하고 있다는 증거이다.

왜 더 나아갈 수는 없을까. 우리의 상상은 과연 우리가 만든 문자의 한계를 벗어날 수는 없는 것일까? 이모티콘은 단순히 이모티콘이 아니라, 우리가 무의식적으로 그어놓은 문자 체제의 선을 뛰어넘는 혁명적인 문자인지도 모른다. 그것은 새로운 미디어 환경이 창출한 인간의 언어적 상상의 표출이라고 할 수 있을 것이다. 외계인이 우리와 똑같은 언어를 사용한다고 생각할 필요도 없다. 이 우주에는 우리가 모르는 또 다른 문자와 언어들이 존재할 가능성이 얼마든지 있다. 새로운 언어를 상상한다는 것은 현실의 질곡으로부터 벗어나 무한한 새로운 공간으로의 자유로운 여행을 하는 것과 동일하다.

얼마 전 미국 과학 전문 인터넷 사이트 라이브사이언스닷컴에서 산소 없이 사는 동물들이 지중해 심해에서 최초로 발견되었다고 보도한 적이 있다. 전자현미경으로 관찰한 결과 연구팀이 발견한 세 종류의 새로운 '로리시페라'에는 산소로부터 에너지를 만들어내는 세포기관인 미토콘드리아가 아예 없었다고 한다. 이는 이제까지의 생물에 대한 모든 개념이 붕괴하는 대사건이라고 할 수 있다. 이제까지 우주에서 생물 여부를 조사하는 활동들은 대부분 산소에 초점이 맞춰져 있었다. 산소가 없으면 생물이 살 수 없다고 생각하고 있었기 때문이다.

그러나 새로이 발견된 생물, 로리시페라는 '생물은 이래야 한다'는 개념 자체를 붕괴시켰다. 생물의 패러다임이 붕괴된 마당에 문자의 패러다임을 넘어서는 것은 문제가 아니다. 이모티콘은 기존의 문자를 넘어서는 새로운 언어로서 우리의 상상력을 자극하고 있다.

3부.
상상력의 끝없는 욕망,
무한한 시간

세상에는 두 개의
시간이 존재한다

시간에 대한 상상여행을 떠나기에 앞서 "시간이란 과연 무엇일까?"라는 근본적인 물음에 대해 생각해보자. 우리는 일단 시간에 대한 고정관념을 가지고 있다. '지금은 5시이며 1시간 후 퇴근할 것이다'라는 식으로 우리의 기준에서 시간은 절대적인 것으로, 어떤 일이 있어도 정해진 대로 움직이는 개념으로 굳어 있다. 왜, 군대에서도 얘기하지 않는가. "거꾸로 매달아도 국방부의 시계는 간다"라고.

하지만 우리에게 너무나도 당연한 것으로 받아들여지고 있는 시간의 움직임은, 어쩌면 단지 시계에 적힌 숫자에 불과할 수도 있다. 그러나 시간의 실체는 시계의 숫자를 넘어서 훨씬 더 거대하고 추상적이며 상상적이다. 사실 시간이란 것은 우주가 생긴 이래 계속 흐르고 있었으며, 시계의 숫자가 만들어낸 그 시간은 그 오랜 시간 중 극히 일부에 불과하다. 시간은 시계라는 기계로 측정할 수 없으며, 무엇보다도 그렇게 분절된 형태로 규정될 수 없는 대상이다.

아인슈타인이 시간의 상대성 이론을 내놓으면서 기존의 근대적 시간의 패러다임을 해체한 이후 우리는 시간이 상대적이라는 것을 잘 알고 있다. 아인슈타인의 상대성 이론은 시간이 절대적인 것이 아니라 상황과 주관에 따라 다르게 느껴진다는 것을 가르쳐준다. 아인슈타인은 다음과 같은 비유를 들어 시간의 상대성을 쉽게 풀이했다.

뜨거운 냄비에 손을 얹는다고 해보자. 단 몇 초만 얹고 있어도 그 시간은 너무나도 길게 느껴질 것이다. 하지만 너무도 사랑하는 아름다운 연인과 같이 있을 때에는, 몇 시간이라는 시간조차도 너무나 짧게 느껴질 것이다. 물론 이것이 상대성 이론의 실질적인 내용은 아니다. 그것은 일종의 농담과도 같은 비유이지만, 이처럼 시간이라는 것은 그것의 상황에 따라 전혀 다른 길이로 받아들여질 수 있다는 것을 말하고 있다.

그러나 상대적인 시간에 대한 상상이 20세기에 처음 등장한 것은 아니다. 고대인들은 이미 시간이 상대적이라는 생각을 하고 있었다. 그리스의 신화에는 이상하게도 시간의 신으로 두 명이 등장한다. 한 명은 '크로노스(Chronos)'이고, 또 한 명은 기회의 신이라고도 불리는 '카이로스(Kairos)'이다. 왜 시간이라는 같은 대상에 신은 두 명이 있는 것일까? 이는 그들이 시간을 두 가지 의미로 생각하고 있었다는 것을 말하는 것이 아닐까?

크로노스

크로노스는 그리스 신화에 등장하는 태초신 중 한 명으로, 사실 신화에 따르면 크로노스는 총 두 명이 있었다. 하나는 시간의 신인 흐로노스(Chronos)이며, 하나는 농경의 신인 크로노스(Kronos)이다. 음유시인들의 전승에서 나타난 바와 같이 태초에는 오로지 흐로노스, 즉 시간의 신만 존재했다. 여기서 시간이란 스스로 존재하는 것으로, 불로불사의 힘을 지닌 것이었다. 흐로노스는 맑은 공기 아이테르와 어두운 심연 카스마를 낳았으며, 또한 우주의 알을 낳았는데 여기서 태어난 것이 빛의 신 파네스로 그는 오르페우스 신앙에서의 우주신 프로토고노스와 동일시된다. 절대적인 존재로서의 시간으로부터 공기와 어둠, 우주가 태어났다는 고대 그리스인들의 상상은 그만큼 시간이 세상을 지배하는 절대적인 힘이라고 인식되었음을

그림 17 프란시스코 고야, **자식을 잡아먹는 크로노스**, 1819~1823.

의미한다.

또 한 명의 크로노스는 그보다 훨씬 이후에 등장한 신으로, 신들의 왕인 제우스와 그의 형제들은 모두 크로노스와 그의 부인 레아 사이에서 태어났다. 크로노스는 농경을 상징하는 신으로 낫을 들고 있는데, 신화에 따르면 그는 어머니 가이아의 명에 따라 아버지 우라노스의 성기를 거세하고 아버지가 가지고 있던 세계에 대한 지배권을 빼앗았다. 이때 가이아는 크로노스 또한 아버지 우라노스와 마찬가지의 운명을 맞이할 것이라 예언했고, 여기서 크로노스의 끔찍한 습성이 발생한다. 그는 이 예언이 실행되지 못하게 하기 위해 아이들을 낳자마자 잡아먹었다고 하는데, 이런 끔찍한 크로노스의 모습은 고야의 〈자식을 잡아먹는 크로노스〉라는 그림으로 널리 알려져 있다. 그러나 크로노스의 자식들 중 제우스는 몰래 빠져나올 수 있었다. 제우스는 크로노스의 배를 갈라 형제들을 꺼내고 신들의 왕이 되었다.

그런데 여기서 재미있는 것은 바로 이후 전승 과정에서 일어난 문제이다. 흐로노스와 크로노스는 별개의 신이었지만, 전승 과정에서 이름이 비슷한 두 신을 사람들이 혼동하기 시작한 것이다. 특히 두 신의 이름이 라틴어상의 발음에서 거의 같았기 때문에, 결국 이 두 신은 별개의 다른 신이면서 동시에 하나의 신으로 알려지게 되었다. 이에 따라 서구에서 두 번째 크로노스의 행위들은 새로운 의미를 부여받게 되었다.

먼저 우주의 탄생에서, 시간 자체인 크로노스가 우라노스를 몰아내고 신들의 왕이 되면서 세상이 시간의 지배를 받게 되었다는 것이다. 따라서

그림 18 리시포스, **카이로스**.

세상의 만물은 생로병사의 고통을 안게 되었고,
시간에 따라 생기고 또 없어지는 존재가 되었
다. 또한 크로노스의 끔찍한 습성은 '시간이 모든 것을 집어 삼킨다'라는
의미로 새롭게 해석되었으며, 올림포스의 신들은 시간을 이겨 불생불멸
의 신이 되었다는 것이다.

이처럼 전승 과정에서 본래 절대적인 존재였으며 세계 자체였던 시간
은 신들에 의해서 파괴되었지만, 크로노스는 여전히 태초의 시간의 신으
로 남아 있다. 그렇기 때문에 절대적인 시간은 여전히 세계의 지배적 원리
로 잔존하고 있는 것이다.

카 이 로 스

상대적인 시간의 신이자 기회의 신이라고도 불리는 카이로스는 제우스의
아들인데, 그는 무척 재미있는 모습을 하고 있다. 우선 그의 머리를 보면
앞머리는 무성한데, 뒷머리는 머리털이 하나도 없는 대머리이다. 그리고
그의 양발에는 날개가 달려 있다. 때로 그는 날개가 달린 공 위에 서 있는
모습으로 묘사되기도 한다. 그리고 손에는 저울과 칼을 들고 있다.

카이로스 동상 앞의 에피그램에는 이렇게 쓰여 있다.

앞머리가 무성한 이유는ㅡㅡㅡ
사람들로 하여금 내가 누구인지 금방 알아차리지 못하게 하고, 나를 발견했을
때는 쉽게 붙잡을 수 있도록 하기 위함이고,

뒷머리가 대머리인 이유는ㅡㅡㅡ

내가 지나가고 나면 다시는 나를 붙잡지 못하도록 하기 위함이며,

발에 날개가 달린 이유는ㅡㅡㅡ

최대한 빨리 사라지기 위해서이다.

저울을 들고 있는 이유는ㅡㅡㅡ

기회가 앞에 있을 때는 저울을 꺼내 정확히 판단하라는 의미이며,

날카로운 칼을 들고 있는 이유는ㅡㅡㅡ

칼같이 결단하라는 의미이다.

나의 이름은 '기회'이다.

그의 앞머리가 무성한 이유는 사람들이 금방 알아차리지 못하게 하기 위한 것, 즉 기회는 쉽게 눈에 띠지 않는다는 것을 의미한다. 하지만 앞머리를 무성하게 함으로써 그것을 알아본 사람은 금방 움켜잡을 수 있도록 배려했다. 뒷머리가 대머리인 이유는 지나고 나면 다신 붙잡지 못하게 하기 위한 것, 즉 기회는 놓치면 좀처럼 다시 오지 않는다는 뜻이다. 게다가 발에 날개를 달고 있으니 잡으려야 잡을 수 없다. '이때가 기회다'라고 생각하는 순간 평소와는 달리 시간이 순식간에 지나가 놓쳐버린 경험을 누구나 가지고 있을 것이다. 기회가 앞에 있을 때는 정확히 판단해야 하며 잡을 것인가 말 것인가를 칼과 같이 빠르게 결단해야 한다. 카이로스의 모습은 이런 시간의 속성을 상징적으로 묘사하고 있다.

크로노스는 절대적인 시간의 신이다. 즉 그는 우리와 무관한 시간, 달

절대적 시간의 신 카이로스의 뒷머리가 대머리인 이유는 무엇일까?

력에 맞춰 넘어가고 시계의 침과 함께 흘러가는 시간을 지배한다. 이 절대적인 시간은 지구가 자전과 공전을 하면서 흘러가 우리를 늙게 하고 끝내 죽게 하는 시간이다.

반면 카이로스는 상대적인 시간의 신이다. 이 시간은 목적을 가진 사람에게 포착되는 의식적이고 주관적인 시간을 나타낸다. 게으른 사람에게 1분은 아무것도 아닌 것처럼 여겨질 수 있지만 어떤 특정한 목적을 가진 사람에게 1분은 결코 놓쳐서는 안 될 중대한 시간이 될 수 있는 것이다. 즉 카이로스의 시간은 기회의 시간이며 결단의 시간이다. 크로노스의 시간은 관리할 수 없지만 카이로스의 시간은 마음먹기에 따라서 얼마든지 늘일 수도 있고 줄일 수도 있다. 카이로스의 시간은 주관적인 시간이므로 같은 양의 물리적 시간이라도 사용함에 따라 두 배 혹은 세 배까지도 늘릴 수 있는 것이며, 동시에 그 순간을 놓쳐버린다면 찰나에 불과할 수도 있는 것이다.

사실 인류의 발전 또한 이 추상적이고 상상적인 시간을 쪼개어 물질화시키고 절대화하면서 발전해온 것이 아닌가. 상상하는 인간은 절대적 시간을 거슬러 시간을 임의로 해체 구성하면서 자신만의 고유한 시간 상상력을 펼치면서 자유를 만끽하는 인간이다.

왜 인간은
시간을 발명했을까

인간중심주의적 억측일지도 모르겠으나, 하이데거는 인간만이 자신의 존재에 대해 고민하는 존재자라고 말했다. 그가 보기에 인간만이 자신이 언젠가는 죽게 되는 유한한 존재임을 인식하는 '현존재'였던 것이다. 하이데거는 그러한 인간만이 가지는 특유한 존재방식을 '역사적'인 것이라고 보았다. 인간은 죽음이라는 미래를 내다보므로 과거를 반추하고, 그를 통해 현재를 살아간다. 인간은 〈2001 스페이스 오디세이〉의 유인원들처럼 죽음이라는 절대적인 어둠을 극복하기 위해서 역사적인 존재자가 되는 것이다.

우리는 '역사적 존재자'라는 하이데거의 가정으로부터 인간의 시간에 대해 생각해볼 수 있다. 시간을 단순히 자연의 흐름, 변화를 의미하는 것으로 보지 않고, 인간의 의식을 구성하는 형식으로 이해한다면, 시간은 인간이 자연의 변화에 대처하는 한 방식으로 이해될 수 있다. 최초의 인간은 자신을 집어삼켜 버릴지도 모를 어둠에 둘러싸인 자연의 변화무쌍한 힘을 이성의 빛으로 비추기 위해 시간을 발명한 것이다. 하루를 시와 분과 초라는 시간 '개념'으로 분석하는 물리학적 시도는 시간을 통해 변화를 해석하고 이해하려는 인간의 노력으로 생각해볼 수 있다.

'세상의 모든 일들에는 다 이유가 있다'고 생각하는 것, 즉 세상이 인과율의 지배하에 놓여 있다고 생각하는 것은, 미지의 영역에 맞닥뜨린 인간이 가질 수 있는 가장 일반적인 대처방식이다. 영국의 철학자 흄에 따르면 당구공이 다른 당구공을 밀어내는 현상에서 우리가 발견할 수 있는 것은 오직 개별적인 두 당구공의 움직임일 뿐이지만, 인간은 그 두 움직임의 사이에서 '작용 반작용의 법칙'이라는 절대 경험적으로 정당화될 수 없는 '법칙'을 상상해낸다. 인간은 어떠한 변화든지, 그것을 어떠한 실재적인 법칙의 결과라고 생각하려는 비합리적인 경향이 있다.

인과율과 관련된 이러한 인간의 상상력은 자신에게 가장 고유한 미스터리인 '죽음' 역시 그와 같은 방식으로 해소하려 든다. "내가 끊임없이 변화하고 유한한, 그래서 불완전한 현세의 시간 속에 태어난 이유는 완전하고 불변하는 세상에 들어가기 위해서이다"라는 식의 반응이 전형적인 것이다. 분명 인간에게 가장 익숙한 것이지만, 인간이 가장 피하고 싶은 것이 시간이기에, 인간은 끊임없이 시간의 인과율에 대해 상상해왔다. 창세로부터 시작되어 종말에 이르기까지의 선형적이고 유한한 시간을 가정하는 기독교의 발상 역시 시간을 이해하기 위한 인간의 상상력의 결실이다. 동시에 기독교를 비판하고 나서는 현대물리학의 무한한 시간관 역시 동일한 노력의 산물이다.

기독교의 시간관에서 볼 수 있듯이 인간은 시간이 어떠한 원인에 의해 존재하고 특정한 목적을 달성하면 사라질 것이라고 상상해왔다. 이는 변화를 불완전한 것으로 보고 불변을 완전한 것으로 보았던 파르메니데스로부터 시작되는 서양철학의 전통에서 넓게 인정되었던 가정이다. 변화 자체를 있는 그대로 인정할 수 없었다는 점에서 서양인들은 분명 〈2001 스페이스 오디세이〉에 등장하는 유인원들의 후손이었다. 우리는 이러한 서양의 시간관을 '선형적'이고 '목적론적'이라고 말할 수 있고, 이는 인과율이 시간에 적용되는 가장 일반적인 방식 중 하나이다.

‘선형적’이고 ‘목적론적’인 시간관은 문명의 탄생부터 현재에 이르는 장기간의 시간을 설명하는 학문인 역사학에도 적용되어왔다. 인간의 경제적인 소유관계의 불균형이 역사의 변화를 발생시키고, 결과적으로 공산주의에 의해 그 소유의 완전한 균형이 이루어지면 역사가 종말할 것이라고 보는 마르크스주의 역사이론은 그러한 역사학의 대표적인 예이다.

　마르크스주의의 역사관은 불균형의 발생을 역사의 시초로, 그것의 해소를 역사의 종말로 보았다는 점에서 기독교적 역사관의 형태가 변형된 것으로 보인다. 마르크스의 예상과는 달리 현대의 역사는 공산주의에 이르지는 않았지만, 많은 학자들이 현대를 역사 이후의 시대, 역사가 종말에 이른 시대로 보고 있다는 점은 목적론적이고 선형적인 역사관이 현대의 사상에 얼마나 뿌리 깊은지를 잘 보여준다. 어쩌면 변화를 두려워하는 것이 인간의 원초적인 본능이고, 변화의 폭력을 피하기 위해 인간이 상상해낸 것이 시간과 역사이기에, 역사는 항상 완성이라는 목적지를 향해 달려가는 것으로 상상되어 온 것이리라.

과거, 현재, 미래를
사는 인간

하이데거는 시간이야말로 인간을 인간이게 하는 것이라고 생각했다. 이 시간은 숫자로 표상되는 근대적 시간이 아니다. 그것은 인간을 언젠가 반드시 죽음에 이르게 한다는 의미에서 절대적인 시간을 말한다. 하이데거는 '인간은 언젠가 반드시 죽는다'라는 시간의 유한적 속성을 인간의 가장 본질적인 것이라고 보았다. 그는 인간을 '현존재(Dasein)'라고 했는데, 이것은 독일어로 '거기에 있다(da-sein)'라는 뜻이다.

이 말은 동시에 인간은 현재를 살면서도 늘 과거와 미래를 상상하고 그것과 연관되어 살아갈 수밖에 없음을 의미하기도 한다. 자신이 표상하는 과거, 현재, 미래의 무한한 영겁의 시간과 비교하여 인간은 늘 '지금, 거기에' 죽음을 앞둔 유한자로 존재할 수밖에 없다는 것, 이것이 바로 호모이마기난스의 숙명인 것이다.

이러한 하이데거의 시간관은 마르셀 프루스트의 소설 《잃어버린 시간을 찾아서》에 잘 나타나고 있다. 소설의 도입부에서 주인공은 마들렌 한 조각으로 순식간에 무수한 세월을 거슬러 올라가 자신의 유년 시절 기억을 되돌린다. 즉 프루스트는 현재를 살면서도 늘 과거 속에 그리고 동시에 미래 속에 살아가는 인간을 그린다. 하나의 인간이 수많은 시간의 세계를 동시에 상상한다는 것. 그 상상과 기억 속에서의 시간은 길 수도 있고 짧을 수도 있기 때문에 상대적이라는 것. 거기에 시간을 상상할 수 있는 인간의 특권이 있는 것이다.

실제로 프루스트는 시간의 상대성 이론을 발표한 아인슈타인과 교우했다고 하는데, 아마도 아인슈타인과의 교우를 통해서 그는 시간이 상대적이라는 생각을 하게 되었을 것이다. 시간은 주관적이고 상대적인 것이기 때문에 인간은 현재를 살면서도 동시에 과거를 살아갈 수 있으며 바로 이 생각이 인간의 시간여행과 시간상상의 근거가 되고 있다. 현재의 '나'는 마들렌 냄새를 통해 과거로 돌아가 유년 시절의 자신으로 다시 살아볼 수 있는 것이다.

우리는 흔히 시간은 강물과 같아 한 번 흘러가면 다시는 돌이킬 수 없다고 생각한다. 그리고 씨앗을 뿌리고 나서 계절이 지나면 열매가 맺히듯이 시간도 그렇다고 생각한다. 다시 말해 우리는 시간을 선형적이고 인과론적 관계에 따라 생각한다. 하지만 이것은 근대적인 관점에서의 시간에 대한 이해이다.

하이데거의 시간-인간관은 이러한 선형적이고 인과론적인 시간관을 해체한다는 점에서 의미가 있다. 그는 인간이 시간에 의해 살아가기 때문에 '상상' 자체도 가능하다고 보았다. 하이데거는 인간이 특별한 이유는 자신이 유한한 존재임을 알고 미래에 자신의 존재를 '기획 투사'하여 스스로 존재 부여를 하기 때문이라고 말한다.

우리는 늘 미래의 자신을 그리며 산다. 미래에 살게 될 집, 거기서 행복해하는 자신의 미래를 상상하며 현재의 고통을 이겨내기도 한다. 이런 상상을 하는 이유는 나 자신은 언젠가 죽을 것이므로 살아 있는 동안 행복해지고 싶기 때문일 것이다. 이런 상상이 미래에 자신을 '기획 투사'하는 행위이다. 즉 우리를 유한한 존재로 만든 시간은 반대로 미래의 자신에 대한 무한한 상상을 가능하게 하는 것이다. 그리고 이런 상상이 우리를 인간이

게 하는 것이라고 하이데거는 말한다.

사실 하이데거의 인간에 대한 철학은 근대적 인간관을 완전히 뒤집는 것이었다. 근대적인 관점에서 볼 때 인간은 시간과 큰 상관이 없이 독자적으로 존재하는 것으로 이해되었다. 그리고 인간의 이성은 시간과 관계없이 존재하며 시간의 흐름을 넘어서 궁극적인 진리를 얻을 수 있는 것으로 생각되어 왔다. 하지만 하이데거의 인간관에 따르면 인간은 시간에 의해 존재하기 때문에 상대적인 맥락에서 벗어날 수 없는 존재이다.

하이데거는 이러한 인간을 '세계-내-존재'라고 했다. 즉 인간은 독자적으로 존재하는 것이 아니라 세계와 관계를 맺고 있는 존재라는 것이다. 이러한 하이데거의 철학은 인간을 이해하는 데 있어 상상이 개입할 수 있도록 길을 열어주었다. '나'는 지금 역사 중 한 지점에 있으며 나를 태어나게 만든 지점, 내가 태어난 지점 그리고 살아 온 지점들에 이르기까지 다양한 역사성을 띠고 있는 것이다. '나'는 실로 그냥 내가 아니며 다양한 시간적 지평들이 어우러져 있는 하나의 우주인 것이다. 그러므로 모든 사람이 무한한 상상력의 탐구 대상이 될 수 있다.

개구리 울 때쯤 만나자

시간이 상대적이며 주관적인 것이라는 것을 생각하면 왠지 우리를 옭아매왔던 시간으로부터 어느 정도 자유로워진 느낌이 들지 않는가? 사실 우리의 삶에서 더 자주 느끼게 되는 것은 절대적으로 규정된 시간보다도 이러한 상대적인 시간일 것이다. 하지만 우리는 여전히 시간의 굴레를 완전히 벗어나지 못한다. 아니, 어쩌면 벗어날 수 없다고 표현하는 것이 적합할 것이다. 절대적인 시간은 여전히 우리 삶을 지배하고 있기 때문이다.

우리는 정해진 시각에 출근하고 퇴근하며 누군가와의 약속을 잡는다. 그렇다면 상상하는 인간은 왜 그를 그토록 지겹게 쫓아왔으며 쫓아오고 있는 절대적인 시간, 시계 속의 시간을 만들었을까? 왜 인간은 시계라는 것을 만들었고, 언제부터 그 숫자에 집착하여 1분 1초를 따져가며 살게 되었던 것일까?

시계가 없었던 시대, 고대인들은 시간을 어떻게 인식하고 있었을까? 아마도 시간이 '흐른다'라는 표현처럼 그저 흘러가는 날들에 대한 개념 정도로 약간은 무관심하게 생각했을 가능성이 크다. 시간을 지킨다거나 시간을 잰다는 생각 자체가 없었을 뿐만 아니라 낮과 밤으로 반복되는 하루 속에서 동틀 녘, 한낮, 어두운 낮 정도로 어렴풋이 '때'를 구분하는 정도였을 것이다. 특히 농경이 시작되기 이전에는 시간이라는 것은 정말 말 그대로 무의미한 개념이었을 것이다. 사실 시간이란 환경 변화에 대한 인식에서 비롯되었으며 환경을 측정하기 위한 도구에 가깝다.

그러나 구석기 시대에는 이러한 관념 자체가 필요하지 않았다. 그저 배가 고프다 싶으면 사냥을 나가고 잠이 오면 잠을 자는 형태의 생활이 반복되었을 뿐이고, 환경에 맞춰 적당히 생활할 수 있으면 그것으로 족했기 때문이리라. 이러한 생활형태에서는 24시간으로 이루어지는 하루의 패턴 또한 의미가 없었을 것이며, 실제로 구석기 시대의 생활은 대부분 동굴에서 이루어졌던 만큼 낮과 밤의 개념 또한 그저 밝다, 어둡다 이상의 개념을 벗어나지 않았을 것으로 보인다.

그렇다면 농경이 시작된 신석기 시대에는 어떠했을까? 농경에서 가장 중요했던 것은 적절한 시기에 이뤄지는 파종, 추수 등의 활동이다. 이는 천체의 주기, 지구의 공전에 맞게 이뤄져야 하는 활동이었으며, 이 과정에서 천체 주기를 기준으로 하는 보편적 시간이 등장했다. 또한 이 시간을 말해주는 기준이 되는 역법, 즉 달력의 제작은 매우 중요한 것으로서 이는 지배자의 특권이 되었다. 그러나 이 시기까지만 해도, 시간이라는 것은 지금과 같이 정확히 규정된 대상이라기보다는 음악의 '리듬'에 가까운 현상이었을 것이다.

실제로 중국의 《춘추》 등의 내용을 보면, 지금의 기준으로 볼 때 황당한 현상들이 일어난다. 당시 사람들은 약속을 할 때 지금 우리와 같이 몇 월 몇 일 몇 시에 만나자는 식으로 하지 않았다. '추수할 때 만나자', '개구리가 울 때쯤 만나자'와 같이 긴 단위로 약속을 잡았고, 그렇게 애매한 약속을 하면서도 서로 잘 만날 수 있었다. 즉 그 시대의 시간이라는 것은 지금보다 훨씬 느슨한 개념으로서 어떠한 활동을 하는가에 더 초점이 맞춰진, 일종의 행동 주기에 가까운 개념이었다고 볼 수 있다.

시계가 가져온 상상력

과거의 시간개념을 탈피하여 현재의 시간개념이 탄생하는 소위 시간혁명의 계기는 시계의 발명이었다. 최초의 시계는 1개의 막대를 땅 위에 세웠던 그노몬(gnomon)이었다고 전해진다. 고대 이집트에서는 오벨리스크가 그노몬으로 쓰였다고 전해지는데, 사람들은 그림자의 위치로 지금이 어느 때인지 짐작할 수 있었다. 메소포타미아 지역에도 폴로스라고 하는 시계가 있었는데, 이 또한 막대의 그림자를 통해 시간을 측정하는 도구였다. 이것이 바로 해시계이다.

해시계는 처음 바빌로니아, 이집트 등에서 만들어져 차츰 동서로 전해진 것으로 알려져 있는데, 한국에도 조선 세종조에 제작되었던 것을 이후 복원한 앙부일구가 남아 있다. 그러나 해시계는 시간을 세분하는 데는 적합하지 않은 도구였으며, 밤이나 날씨가 궂은 때에는 사용할 수 없었다. 물론 앙부일구는 시간은 물론 절기까지 파악할 수 있는 상당히 정교한 도구였으며, 조선 후기 강건(姜健)은 이를 휴대용으로 제작하기에 이르렀지만 분과 초를 나타내기에는 여전히 무리가 있었다.

이러한 결점을 보완하기 위해 물방울을 이용한 물시계 클렙시드라(clepsydra)가 고안되었다. 해시계의 경우 좌표를 보고 대략적으로 이 시간쯤이라고 짐작할 수 있었던 반면, 물시계는 시를 정확히 알릴 수 있는 장치를 장착하기에 이른다. 한국의 자격루의 경우, 물의 증감에 따라 시간에 맞춰 종이 울리도록 장치하기도 했다. 즉 시간의 측정이 훨씬 정교해진 것이다. 그러나 이러한 물시계가 해시계와 구별되는 점은 그 작동방식에도 있겠지만, 가장 큰 차이점은 물시계를 통해서 시간이 누적되고 모아질 수

그림 19 세종대왕릉에 있는 자격루.

있는 형체를 가진 물질로 상상될 수
있는 전환점을 제공했다는 점이다.
이런 점에서 앙부일구보다는 자격루가 더 시간에 대한 상상력을 자극하
는 발명품이었다고 말할 수 있을 것이다.

　이후 오랜 시간에 걸쳐 시계는 점점 더 정확해졌고, 1364년 프랑스의
독일 기술자 드비크에 의해 드디어 최초로 탈진기를 이용한 기계식 시계
가 발명되었다. 이렇게 등장한 기계식 시계는 과학 혁명과 함께 점차 정밀
도가 증가했으며, 특히 갈릴레이의 진자 발견과 결부되어 하루 오차 10초
정도의 정밀도를 지닌 진자시계가 개발되기에 이른다. 그리고 18세기 중
엽에는 정밀한 항해용 시계 크로노미터가 군함에 장착되었는데, 이는 제
국주의의 비약적 팽창을 위한 디딤돌로 작용하기도 했다.

　시계의 기술적 발전을 넘어 유럽에서는 18세기 중엽부터 19세기 말에
걸쳐 1년마다 평균을 내어 평균태양일을 정하고 이것을 24등분한 것을
시(hour), 시를 60등분하여 분(minute), 분을 60등분하여 초(second)로 하는 제
도가 시작되었다. 이제 시간은 더 이상 단순한 리듬이 아니라 하나의 수치
로 변하기 시작했으며, 흐름이 아니라 분절되는 대상으로 바뀐 것이다.

　정확한 시간을 측정할 수 있는 시계가 발명되자, 사람들은 '시간'에 대
해 종전과는 다른 방향으로 상상력의 범위를 넓혀나가기 시작했다. 시계
의 초침과 분침이 움직인 공간적 거리를 통해서 시간을 잰다는 것은, 물시
계처럼 시간의 물리적 양을 잴 수 있다는 말이다. 사람들은 흐름과 리듬에
가까웠던 시간을 계측 가능하고 통제 가능한 물질로 받아들이고, 심지어

그림 20 찰리 채플린의 〈모던 타임스〉 중 한 장면, 1936.

이것을 사고팔 수도 있겠다는 생각을 하게 되었다. 시계의 발명이 '시간'이라는 새로운 재화를 만들어낸 것이다. 결국 시간혁명 이후, 사람들은 자신의 시간을 팔며 살게 되었고, 이 과정에서 시간의 '양'이 중시되기 시작했다.

사실 고대의 시간에 있어서 가장 중요한 것이 '어느 때'였다면, 현재의 시간에서 가장 중요한 것은 시간의 '양'이다. 우리는 시간을 낭비하지 말아야 하기에 시간을 쪼개서 계획적으로 살아야 하고, 남의 시간을 빼앗지 않기 위해 약속시간을 철저히 지켜야 하며, 다른 사람의 돈을 받기 위해 자신의 시간을 팔아야 한다. 단위 시간에 맞춰 돈을 받고, 근무환경이 좋을 경우 시간외근무에 대해서도 그에 해당하는 대가로 돈을 받기도 한다. 결국 현대 사회에서 모든 것은 시간, 그것도 시간의 양을 기준으로 움직이고 있는 것이다.

이것이 정점으로 치닫기 시작한 계기는 바로 산업혁명이었다. 사실 산업혁명은 곧 시간혁명이라고 할 수 있다. 손 대신에 기계로 일을 하면서 시간이 훨씬 단축된다는 것은 좋았지만, 대량생산을 위해서는 그 단축된 시간을 이용하여 최대한 많은 양을 생산해야만 했다. 특히 컨베이어 벨트의 도입은 기존 장인 사회의 인간─제품 간의 연결 고리를 끊어놓기에 이른다.

이러한 상황이 가장 잘 묘사된 것은 바로 채플린의 영화 〈모던 타임스〉가 아니던가. 채플린은 자신이 무엇을 제작하고 있는지도 모른다. 그저 하

시계의 발명과 함께 나타난 시간의 새로운 의미는 무엇일까?

루 종일 자신의 앞에 온 컨베이어 벨트 위 제품의 나사못을 조이는 일을 할 뿐이다. 그리고 결국 그 행동에 노이로제가 걸리면서, 눈에 보이는 모든 것을 조이려는 강박관념에 빠져 정신병원으로 가게 된다. 이는 인간이 단순한 행위에 종속된 것이라기보다 시간에 종속되어 있음을 단적으로 보여주고 있다.

사실 타이타닉의 침몰 또한, 선장이 첫 운항에서 대서양 횡단 기록을 경신하기 위한 무리한 항해의 결과였다. 그는 22노트의 속도로 뉴펀들랜드 해에서 빙산 사이를 헤쳐 나갔으며, 그러다 부딪힌 빙산에 의해 '가라앉을 수 없는 배' 타이타닉은 가라앉았고 이는 20세기 최대의 비극 중 하나로 기록되고 있다. 결국 타이타닉 또한 이러한 시간 경쟁의 희생양 중 하나였던 것이다.

시간이 정확히 계측 가능하리라는 상상은 과학자들에게도 엄청나게 매력적인 아이디어로 다가왔다. 시간의 양을 물리량과 함께 그래프에 표현할 수 있게 되면서 우주 삼라만상의 법칙을 수학으로 표현할 수 있었기 때문이었다. 그 결과 시간이란 하나의 좌표와 같은 형태로 추가되었고, 이것은 기존 공간의 3차원적 세계가 4차원의 세계로 발전해나가는 계기로 작용했다. 그리고 이를 통해 세상 모든 법칙을 수치로 표현하게 되면서, 과학은 엄청난 발전의 성과를 이뤄냈다. 결국 시계가 가져온 상상력 덕분에 자동차도 달리고, 비행기도 날고, 로켓도 날아가는 세상이 온 것이다.

2440년 시간 여행

우리는 그리스 신화에 등장하는 날개를 달고 태양까지 날아간 이카로스 이야기나 날개 달린 신발을 신고 날아다닌 헤르메스의 이야기를 황당무계하다고 생각한다. 하지만 오늘날 우리가 아무렇지 않게 타고 다니는 자동차나 비행기가 이런 신화 속 상상을 실현시킨 것과 다름없다고 생각하면 신화 또한 강력한 현실성을 잠재적으로 가지고 있다고 할 수 있다.

SF소설 속에 등장했던 상상적인 과학기술도 신화와 마찬가지로 언젠가는 실현될 것을 전제로 하고 있다. 조지 오웰의 《1984년》에 나오는 빅브라더는 오늘날 도처에 깔려 있는 CCTV라고 할 수 있으며, 헉슬리가 《멋진 신세계》를 통해 예고했던 것처럼 유전자 조작기술을 통한 인공생명체까지 등장하고 있는 시대가 왔다. 이제 SF소설 속에 등장했던 기계와 인간의 결합, 인간과 똑같은 휴머노이드들의 개발이 멀지 않았으며, 사실 오늘날 대두되는 트랜스휴먼, 포스트휴먼은 바로 이런 SF소설 속의 상상적 존재들을 실현시키는 것이다. 어쩌면 SF소설들이야말로 정말 노스트라다무스의 예언집이 아닌지 생각해봐야 할 것만 같다.

SF소설은 상상적인 테크놀로지를 소재로 하면서 그것을 '미래'로 설정한다는 데 핵심이 있다. 왜 인간의 상상은 미래를 지향하는 것일까? 단순히 미래 세계에 대한 꿈일 수도 있지만 또 한편으로는 미래소설들은 현실에 대한 강력한 비판의식과 개혁의지 그리고 미래의 악재에 대한 경고 메시지를 담고 있다. 특히 디스토피아를 그린 수많은 미래소설들과 영화들이 그러했다. 미래의 유토피아를 통해서 현실을 성찰하려는 인간의 의식은 생각 이상으로 보편적이다. 최초의 미래소설이 SF소설이 등장하기 훨씬 이전에 탄생했다는 것은 그 같은 맥락에서 이해할 수 있다.

1700년대 말 프랑스 혁명을 앞둔 유럽 사회에 팽배해 있었던 사상은 계몽주의였다. 계몽주의의 핵심은 '개혁'과 '발전'이다. 기존의 틀을 개혁하고 발전시키자는 사상은 자연스럽게 역사성, 즉 '시간성'을 갖게 된다. 따라서 계몽주의 시대의 상상력도 공간 유토피아에서 시간 유토피아로의 패러다임 전환이 일어난다. 1771년 상상력의 역사에서 코페르니쿠스적 대전환이 일어나는데 그것은 바로 프랑스의 극작가이자 소설가인 메르시에가 쓴 최초의 미래소설 《서기 2440년》이었다.

이 소설의 주인공인 서술자는 깊은 잠에 빠졌다가 2440년 파리에서 깨어난다. 거기에서 그가 본 미래국가는 그가 꿈꾸던 계몽주의 이상들이 실현된 국가였다. 그곳은 바스티유 감옥이 무너져 있고 현덕한 군주가 다스리는 입헌군주제 국가였다. 메르시에는 자신이 꿈꾸던 이상국가를 먼 미래에 설정하면서 시간이 흐르면 그의 이상이 실현될 수 있을 것이라 상상했다.

그런데 중요한 것은 이것이 단순히 상상이 아니라 시간의 흐름을 동반한 상상이라는 것이다. 수많은 계몽주의 사상가들이 새로운 세계를 이야기했지만, 대부분 주변국인 영국 등을 배경으로 한 것이었거나 다른 곳에 있는 이상 세계를 말하는 경우가 대부분이었다. 하지만 메르시에는 예외적으로 역사의 흐름과 함께 사회가 발전한다는 계몽주의적 상상력을 표현하고 있다. 즉 상상력의 시간화가 나타나게 된 것이다.

700년 후의 미래국가에 대한 상상에서, 우리는 프랑스 혁명이 일어나기 20년 전 작가가 살았던 시대의 프랑스를 읽어낼 수 있다. 사실 메르시에는 그의 시간 상상을 통해서 먼 미래에 있을 국가가 아니라 개혁된 현재를 그리고 있다. 그가 그린 이상국가의 통치 체제는 세습군주제이면서 영국의 모범을 따른 입헌군주제이다.

오늘날 군주제가 완전히 사라진 프랑스를 생각해보면, 메르시에의 상상이 미래를 내다보기보다는 당시의 계몽주의 지성인들이 열망했던 국가의 모습을 그리는 데에 초점이 맞추어져 있다는 것을 알 수 있다. 메르시에는 개혁된 국가에 관한 허구를 미래의 '언젠가'에 위치시키면서 시간 상상이 역사를 만들어가는 힘이라고 말한다. 그와 동시에 18세기의 동시대인들이 경탄해 마지않았던 《서기 2440년》의 프랑스는, 25세기의 국민들에게도 결코 역사의 완성이나 끝을 의미하는 것이 아니었다. 25세기의 국민들에게도 미래는 열려 있으며 그들 역시 시간 상상을 통해 역사를 발전시켜 나가야 하는 것이다. "우리에게는 우리가 지금까지 했던 것보다 훨씬 많은 일들이 남아 있다. 우리는 사다리의 절반도 채 오르지 못했다"라는 구절은 바로 시간 상상의 항구성을 말해주고 있다.

소설의 주인공인 서술자는 자신이 살던 시대의 프랑스와 2440년의 이상국가를 비교하면서 구체제의 나쁜 상태를 비판한다. 메르시에는 더 나은 미래를 현시대에 이야기하면서 주체가 상상을 통해 더 나은 세상을 만들 수 있다는 진보적 낙관주의를 표명하고 있다. 그 이후 등장했던 SF소설들도 미래를 상상하면서 현실을 바꿀 수 있기를 꿈꾼다는 점에서 메르시에와 맥락을 같이한다. 하지만 《서기 2440년》이 SF소설들과 다른 점은, 그것이 테크놀로지를 다루고 있지는 않다는 것이다. 그럼에도 불구하고 《서기 2440년》은 우리가 현재를 살면서도 더 나은 미래를 상상하고 꿈꿀 수 있다는 가능성을 열어주었다. 《서기 2440년》은 이런 점에서 현대 SF소설의 초석이 되었다.

《서기 2440년》의 주인공이 오랜 잠에서 깨어난 파리는 1771년의 파리와 겉보기에 별 다르지 않았다. 2440년의 파리의 집들은 평지붕으로 되어 있고 그 위에는 울창한 식물이 자라고 있었다. 그리고 거리에는 여전히 마차가 다니고 있을 정도로, 메르시에는 테크놀로지에 대해서는 전혀 상상력을 발휘하지 않았다. 단지 메르시에가 그리고자 했던 미래의 파리 시민들의 모습은 테크놀로지 측면보다는 의식적 측면에서 발전된 모습이었다.

1700년대 후반 파리 거리는 더럽기로 유명했는데 그것은 폭발적인 인구 증가 때문이기도 했지만 닥치는 대로 오물을 아무 데나 버리는 시민들의 위생관념 때문이기도 했다. 메르시에가 그리는 2440년의 파리 거리는 놀라울 정도로 깨끗하고 넓었으며, 2440년의 마차는 1771년처럼 오만한 귀족들이 서민들에게 오물을 튀기며 타고 다니는 게 아니었다. 마차는 허영에 찬 귀족 대신, 남을 배려할 줄 알고 공적을 쌓아온 나이든 시민들의 차지가 되어 있었다. 소설 속에서 사실 700살을 먹은 주인공은 이런 긍정적인 변화에 놀라워한다.

정치적 제도 면에서 2440년의 프랑스에는 절대 왕권이 없어지고 권력이 분화되어 있었다. 지방의 소도시와 시골 지역은 더 이상 궁정을 위해 봉사하고 수도를 장식하기 위해 존재하는 것이 아니라 자치가 가능한 곳이 되어 있다. 더 나아가 메르시에는 2440년의 이상국가를 전쟁이 없는 국가로 상상한다.

메르시에는 주인공의 입을 빌려, 전쟁을 일으켜 유럽을 통일하려는 군주들은 전쟁터의 아비규환과 끔찍한 폭력을 모르는 위선자들이라고 비난한다. 또한 전쟁을 좋아하는 왕자들을 훈계하기 위한 재미있는 교육 프로그램을 개발한다. 그들에게 '청각적인 기계'를 씌어 전쟁터의 끔찍한 고통의 절규와 공포의 포성을 들려주는 것이다. 오늘날 가상현실을 통한 전쟁 체험 시뮬레이션과 비슷한 장치를 개발한 것이다. 왠지 이런 도구는 오늘날에도 전쟁을 좋아하는 일부 사람들에게 유용하게 쓰일 것 같다. 메르시에는 더 나아가 아예 전쟁이 없어 군대조차 존재하지 않는 국가를 그린다. 오늘날 우리가 꿈꾸는 것과 똑같이 말이다.

간혹 상상적인 기술과 과학에 관한 내용들이 언급되기도 하지만, 이것들은 테크놀로지 자체의 발전보다는 모두 민생을 이롭게 하고 지식을 보존하기 위한 것으로 상상되었다. 2440년의 프랑스는 여전히 농업 위주의 경제구조를 보여주고 있다. 그리고 현덕한 왕들이 여러 세대를 걸쳐 만든 연구 업적은 과학사 박물관의 '왕의 캐비닛'에 잘 보관되어 농민들에게 필요한 작물과 동물 사육에 관한 지식을 전달하고 있다. 메르시에는 무역에 대해서도 비슷한 관점을 유지한다.

2440년의 프랑스는 테크놀로지의 발달로 세계 각국과의 상거래를 자유롭게 하는 것이 아니라 도리어 무역에 소극적인 모습을 보여주고 있다.

메르시에의 미래소설 《서기 2440년》이 700년 미리 가본 파리의 모습은?

외국 민족을 착취하여 얻은 사치품들과 향신료는 미풍양속을 해치는 것으로 간주되기 때문이다. 따라서 2440년의 사람들은 사치품을 사지 않고 오직 사계절에 맞게 음식을 먹으며 검소하게 살아간다. 사실 1700년대 후반의 프랑스는 엄청난 과학과 산업 발전을 겪고 해외에 식민지를 개척하기 시작하고 있던 때였지만, 메르시에는 이런 점을 배제하고 오히려 발전 속도를 늦추고 있는 것이다. 어쩌면 메르시에는 서구인들의 야욕이 초래할 제국주의와 폭력을 미리 내다보고 있었던 것은 아니었을까?

2440년 프랑스의 도서관에는 메르시에가 판단하기에 쾌락적이고 불온한 책들이 불태워 없어지고 있다. 고대 그리스의 희곡 작가 아리스토파네스의 저술들 역시 마찬가지다. 오늘날 명작으로 손꼽힐 수많은 책들과 예술품들이 불타 없어지고 있는 것이다. 또한 모든 책들은 종교적인 검열을 당하고 있다. 박물관에 소장될 예술품들도 경건성과 미덕을 기준으로 검열을 당하고 있다. 메르시에는 18세기 프랑스인으로서 여전히 신을 믿고 있었기에 기독교적 믿음에 반하는 내용은 불온하다고 치부했을 것이다.

심지어 메르시에는 천문학을 신적인 위대함이 가장 강력히 계시되는 학문으로 보고 청소년들이 천체 관측을 통해 성년의식을 치르도록 했다. 여성들은 남성들에게 봉사하기 위해 존재하는 것으로 묘사된다. 메르시에는 18세기 사교생활을 즐기는 여성 대신 오로지 남성을 위해 정숙하고 순종적으로 살아가는 여성들을 이상적인 여성상으로 그리고 있다. 현시대를 살아가는 우리로서는 2440년의 사람들이 이런 생각을 가지고 살아가리라는 것은 상상이 되지 않는다. 결국 메르시에가 그린 2440년의 사람들은 18세기 계몽주의의 세례를 받은 18세기 사람들에 지나지 않는 것이다.

《서기 2440년》에 등장하는 어떤 학자는 2440년의 이상적인 파리를 "정부가 모든 사람들에게 싸움을 금지하고 각 개인들의 삶을 보장해주는 잘 조직된 도시"라고 묘사한다. 21세기를 살아가는 우리가 상상할 수 있는 것은 '개인들의 삶을 보장해준다'라는 말이 18세기, 21세기 그리고 25세기에 각각 다르게 쓰일 것이라는 사실이다. 계몽주의로 인해 시민들의 사상이 검열당하고 세뇌당하는 《서기 2440년》은 18세기 계몽주의자들에게는 유토피아일지도 모르겠으나, 21세기를 사는 우리에게 《1984년》의 디스토피아를 연상하게 하는 것처럼 말이다.

이처럼 상상력은 시대에 따라 각기 다르게 나타난다는 점에서 상상력 자체도 시간 구조에 묶여 있다. 그 시간의 속박으로부터 벗어나려는 또 다른 상상력이 상상력을 영원한 변증법에 묶어두고 있다.

시간 비틀기, 시간 뒤집기

인류는 긴 역사를 거쳐 오면서 시간을 정복하기 위해 끊임없이 노력해왔다. 고정된 하루, 24시간이라는 그 틀 안에서 더 빨리 이동하기 위해 동물의 등에도 올라타고 바퀴 위에도 앉았다. 그러다 이를 넘어서 직접 가지 않고도 서로 소통할 수 있는 방법을 찾아냈고, 급기야는 이동 중에도 지구 반대편에 연락을 취할 수 있게 되었다. 이제는 자고 있는 동안에도 컴퓨터는 최신 영화를 다운받고 있다.

조금이라도 더 빨리 더 멀리 나아가기 위해 가속화의 과정을 거쳐온 역사. 24시간이라는 한정된 시간을 최대한으로 활용하기 위해 효율성을 추구해온 역사. 인류의 역사는 가히 시간 정복의 역사라고 할 수 있을 것이다.

주어진 시간의 흐름 안에서 최대한의 효율을 달성하기 위해 노력해온 인간은 이제 새로운 시간, 이제껏 경험하지 못한 시간을 경험하기 위해 상상을 시작했다. 평범한 시간의 흐름 안에서 가능한 경험들을 거의 다 섭렵했다고 생각하게 되었는지 혹은 너무나 꽉 차버린 평범한 시간의 공간이 답답하게 느껴졌는지도 모른다. 어쩌면 아직도 더 많은 시간을, 이제는 단순한 하나의 시간이 아니라 많은 종류의 시간을 정복하고 싶은 욕망을 가지고 있는지도 모른다.

어쨌든 인간은 평범한 시간의 흐름을 깨고, 이를 변형시켜 보려는 상상을 끊임없이 해왔다. 단순히 시간을 흐르도록 놓아두는 것이 아니라, 마치 그것을 비디오를 보다가 리모컨으로 조정하는 것처럼 시간을 가지고 자유자재로 놀기 시작한 것이다.

시간의 압축과 연장

아인슈타인의 상대성 이론을 통해서 우리는 시간이 절대적인 것이 아니라는 것을 알았다. 그러나 정작 이것은 하나의 과학적 이론일 뿐이며 그의 비유 또한 우리의 일상에서 가끔 느껴지는 느낌의 문제일 뿐, 시간의 상대성을 실질적으로 볼 수는 없었던 것이 사실이다.

상대적 시간은 정말 볼 수 없는 것일까? 상대적 시간을 볼 수 있게 만들기 위해서 인간은 무한한 시간 상상력을 펼친다. 그리하여 시간을 압축하기도 하며 연장하기도 한다. 즉 너무 긴 시간을 좀 더 빠르게 보기도 하며, 너무 짧은 찰나의 순간을 좀 더 길게 보기도 한다.

너무 느리게 진행되기 때문에 볼 수 없는 것에 대한 일반적인 생각을 처음으로 깨뜨리기 시작한 것은 바로 영화 〈마이크로 코스모스〉였다. 〈마이크로 코스모스〉가 우리에게 보여준 아주 작은 세계는 너무 작거나 너무 빨라서 볼 수 없었던 것이기도 하지만, 다른 한편에서는 너무 느려서 볼 수 없었던 것이기도 했다. 달팽이의 생식이나 한 송이 꽃이 활짝 만개하는 과정, 한 마리의 나비가 번데기에서 벗어나 첫 날갯짓을 하기까지의 과정은 사실 우리의 기존 시간 개념으로 지켜보고 있기에는 너무나도 더디다. 그러나 그 같은 시간을 우리가 경험 가능한 시간으로 압축해놓음으로써 우리는 놀랍고 경이로운 순간들을 지켜보게 되었고, 그를 통해 신선하고 순수한 충격을 맛볼 수 있었다.

〈마이크로 코스모스〉는 곤충들의 시간을 압축시킴으로써 인간이 자신의 시간을 벗어나 곤충과 다른 생물들의 시간까지도 상상할 수 있게 생각의 틀을 해체시켰다. 일기예보가 시작할 때, 하늘의 구름과 태양이 5초 만에 동쪽에서 서쪽으로 넘어가거나, 숲이 10초 만에 청록에서 붉은색을 거쳐 새하얗게 변하는 모습들을 봐도 전혀 놀랄 것이 없을 정도가 되었다. 심지어 스탠리 큐브릭의 영화 〈2001 스페이스 오디세이〉에서는, 세계의 탄생, 인간의 생로병사 등 수많은 내용을 시간의 압축을 통해 이야기했다. 압축된 시간에 대한 상상은, 그 이전에는 우리가 생각할 수 없었던 스케일 또는 관점의 세계를 열어준다.

이와 반대로 인간은 시간을 연장하는 상상을 시도했다. 스포츠에서 분석을 위해 슬로우 모션 비디오를 보여주는 것 또한 시간 상상력의 산물이 아닐까. 뭔가 보고 싶은 장면을 천천히 보는 것 혹은 어느 쪽이 옳은지 알기 힘든 장면을 좀 더 확실하게 보는 것 역시 인간이 시간을 임의로 조정하는 상상력의 형태라고 할 수 있다.

영화 〈매트릭스〉의 장면들을 떠올려보자. 몸을 뒤로 젖히며 총알을 피하는 주인공 네오의 모습이나 공중에 떠올라 발차기를 하는 여주인공 트리니티의 모습 등은 전형적인 시간 상상의 산물이 아닐까. 특히나 공중에 날아오른 트리니티의 모습을 360도로 회전하며 보여주는 것은 이러한 시간의 연장에 부가하여 공간적인 시각의 관점까지 변형시킨 상상의 극치라고 할 수 있을 것이다.

시간을 늘리다 못해 아예 정지시켜 버리는 건 어떨까. 수년 전 모 방송국의 지식정보 관련 예능 프로그램에서 진행자가 이런 말을 한 적이 있다. "초고속 카메라를 이용하여 촬영한 영상은 기술이 아니라 예술이다." 당

그림 21 마틴 와프, **물로 빚는 조각**.

시 이 프로그램은 우유 방울이 만들어내는 왕관 모양이나 풍선껌이 터지는 모양 등 다양한 소재들을 초고속 카메라로 촬영하여 시청자들에게 흥미로운 장면들을 제공했다. 초고속 카메라의 가능성을 경험하기 시작한 시청자들은 더욱 다양하고 재미있는 소재들을 요구했다. 또한 이와 비슷한 시기, 미국의 사진작가 마틴 와프는 떨어지는 물방울을 초고속 카메라로 촬영한 작품들을 발표하기도 했다. 이렇게 인간은 자신의 눈이 분간할 수 없는 엄청나게 빠른 순간의 움직임이나 장면들을 직접 보고 싶어 했고, 그 결과 초고속 카메라가 등장했다.

초고속 카메라가 등장하기 이전에는 꿀벌의 날갯짓이나 떨어지는 물방울의 움직임은 인간의 시간 개념 안에 있지 않았다. 그 짧은 순간의 시간을 늘어뜨릴 수 있게 되자 인간의 시계(視界)가 확장되었고, 상상력의 공간도 확장되었다.

영화 〈맨 프럼 어스〉에서 주인공 존은 자신이 1만 4000년을 살았다고 주장한다. 여기에서 나타나는 시간은 사실 압축도 아니고 연장도 아니다. 그러나 단 한 명의 캐릭터, 주인공 존이라는 인물의 특이성에서 이는 모든 역사의 압축과 동시에 한 인간의 삶의 연장이라는 두 개념이 공존하는 상황이 벌어진다. 1만 4000년을 살아왔다는 존의 주장이 정말인지는 사실 등장인물마다 다르게 생각하고 있는 듯하다.

영화에서도 전혀 정확한 정보를 알려주지 않는다. 그러나 고대부터 현대로까지 이어지는 그와 등장인물들 간의 수많은 이야기들은, 그 또한 하

그림 22 제이슨 포웰, **과거를 들여
다보기 : 워싱턴 14번가.**

나의 압축적인 시간의
이야기라고 할 수 있

지 않을까. 과연 인간의 수명, 인간의 시간이 이처럼 무한대로 연장된다면
어떤 현상이 일어날까. 그것도 단 한 사람만이 그렇다면? 이 영화는 오직
대화로만 전개된다. 어찌 생각해보면 전혀 상상적이지 않은, 현실의 모습
과 다를 바가 없다. 그러나 한 인간의 시간을 연장했다는 것만으로도, 그
대화가 모든 시간을 압축하고 있다는 것만으로도 지극히 상상적인 영화
가 된 것이다.

시 간 의   이 동

미국의 사진작가 제이슨 포웰은 옛 사진자료와 현재의 공간을 같이 비교
해놓는 사진작업을 진행했다. 과거와 현재가 공존하는 사진 속에서 우리
는 시간의 흐름 위에서 변해온 공간과 그 안의 사람들을 떠올린다. 사진을
비롯한 여러 가지 기록 수단들이 발달하면서 인간은 점점 더 많은 과거들
을 저장하고 다시 떠올릴 수 있게 되었다. 타임머신을 다룬 소설과 영화들
은, 우리가 개인 앨범을 들추며 과거와 현재를 오가는 시간여행을 하는 것
과 그 바탕이 같다.

　사실 우리에게 시간과 관련된 상상들 중 가장 익숙한 것은 바로 시간의
이동이다. 1895년 웰스가 《타임머신》이란 소설을 펴낸 이래, 시간 이동
과 관련된 상상은 수도 없이 많은 작품들에서 등장하고 있다. 웰스의 타임
머신이 단순히 인간을 미래로 이동시켜주는 도구로 사용되었던 것과는

달리, 이 작품이 발표된 이후의 타임머신은 과거와 미래를 오갈 수 있는 도구로 발전하면서, 많은 SF 작가들의 상상력을 자극했다. 특히 유명한 양친 살해 패러독스, 즉 자신이 과거로 되돌아가 양친을 살해하면 과연 자기는 존재할 것인가에 대한 논의는, 평행우주론이 등장하기 전까지는 해결할 수 없는 문제로 논란이 되어왔던 것이다. 생각해보면 적어도 현대의 과학 수준에서는 아직 불가능한 기술에 대해 논란이 일어났다는 것 자체가 흥미로운 사실이다.

그러나 타임머신의 이론은 개인을 그대로 둔 상태에서 세계의 시간을 이동시킨다는 관점에 머무르고 있다. 그렇다면 반대로, 세계의 시간은 보통과 똑같이 흘러가고 있고 개인의 시간만이 다르게 흐른다면 어떻게 될까. 〈벤자민 버튼의 시간은 거꾸로 간다〉는 바로 이러한 경우를 상상한 영화이다. 이 영화에서의 시간은 1918년부터 시작하여 정상적으로 흘러간다. 그런데 주인공의 시간만 다르게 흐른다. 주인공 벤자민 버튼은 80세에 태어났다. 그리고 그는 해가 갈수록 오히려 신체적 나이가 어려지는 자신의 모습을 발견한다. 그러던 그는 60대에 데이지라는 한 소녀를 만나게 되고, 만남과 헤어짐을 반복하던 그들은 마침내 둘의 나이가 비슷해지는 시점에서 만나 사랑하기에 이른다. 그러나 그 이후 시간이 지날수록 벤자민은 점점 더 어려지고, 반대로 데이지는 점점 늙어간다.

이 영화에서 벤자민을 제외하면 모든 시간은 정상과 다를 바 없다. 한 사람의 일생을 166분이라는 시간으로 단축시켜놓은 일대기 영화 중 하나일 뿐이다. 그러나 그 내용은 어떠한가. 단지 주인공의 신체 주기를 다른 사람과 반대로 설정해놓았다는 사실 하나만으로, 영화 속 인물들의 행동 양상과 감정 등은 전혀 다르게 흘러갈 수밖에 없다. 점점 어려지는 벤자민이 보는 늙어가는 연인 데이지의 모습. 그들이 느끼는 시간의 상상이란 측면에서, 이 영화는 단 한 가지 시간 상상을 통해 완전히 새로운 세계를 창출해낸 것이다.

시 간 의   조 작

영화 〈캐쉬백〉에서 주인공 벤은 슈퍼마켓 아르바이트 중에 지루함을 달래기 위해 시간을 멈추고 사람들을 그리기 시작한다. 정확히 말하면 멈춘 시간을 상상하고 그림을 그리는 것이다. 사실 슈퍼마켓이라는 공간은 매우 일상적인 행위가 벌어지는 평범한 공간에 불과하지만, 시간을 멈추고 한 명 한 명을 자세히 관찰하다 보면, 그동안 볼 수 없었던 사람들의 숨겨진 감정과 아름다움들이 발견된다. 벤의 지루함을 달래기 위한 시도는 벤이 점점 그 자체의 재미에 빠지면서 그 과정에서 섬세하고 아름다운 그림들이 쏟아진다.

멈춰진 시간 속에, 수많은 눈송이들이 공중에 떠 있는 밤 장면은 너무나도 낭만적이다. 눈이 다가와 내 위로 떨어지는 게 아니라, 내가 다가가 눈송이에 부딪칠 때의 기분은 과연 어떨까. 아마도 그 기분은 벤과 그의 연인 샤론만이 알 수 있을 것이다.

애덤 샌들러가 주연한 영화 〈클릭〉은 이러한 시간의 상상을 극한으로 끌어올린 작품이다. 여기서는 아예 세상을 리모컨으로 자유롭게 조종하기에 이른다. 시끄럽게 짖는 강아지의 소리를 줄이는 것은 애교 수준이고, 세상의 시간들이 리모컨의 조종에 따라 통제된다. 꽉 막힌 교통체증에 시달릴 때는 빨리감기로 회사에 도착하고, 첫 키스 때 흐르던 음악을 기억하지 못한다고 토라지는 아내를 위해 되감기로 그날 입었던 옷까지 기억(?)해낸다.

클릭 한 번으로 리모컨 소유자가 원하는 것이면 무엇이든 할 수 있고, 소유자의 인생 자체를 빨리 감았다 느리게 감았다 할 수 있으며, 심지어 멈추게도 할 수 있다. 시간의 조종이라는 것도 충분히 재미있는 상상력이지만, 그것이 조작의 대표적 아이콘인 리모컨과 결합되면서 상상력의 재미가 극에 달하고 있는 것이다.

이러한 시간의 상상력과 관련해서 웹툰 작가 강풀의 만화 〈타이밍〉도 흥미로운 작품이다. 〈타이밍〉의 주인공들은 시간 능력자들이다. 이 작품에서 중심이 되는 인물은 총 4명인데, 이 중 핵심이 되는 인물인 박자기는 예지몽으로 참사를 미리 볼 수 있는 능력이 있으며, 장세윤은 어떤 끔찍한 일이 일어나기 10분 전에 그것을 파악할 수 있다. 그런데 나머지 두 명의 능력은 더 흥미롭다. 앞의 두 명의 인물이 가지고 있던 능력이 예지에 한정되어 있었던 것과는 달리, 이들은 시간을 조종할 수 있다. 타임스토퍼 김영탁은 아예 시간을 멈출 수 있으며, 타임와인더 강민혁은 10초의 시간을 앞으로 당길 수 있다.

사실 시간의 조작이란 개념만 보자면, 강풀의 만화가 굳이 특이한 상상이라고 하기는 어렵다. 시간을 돌리는 능력, 시간을 멈추는 능력은 이미

왜 인간은 영원한 시간여행자가 되고자 하는 것일까?

앞의 영화들에서도 나타나고 있기 때문이다. 그러나 이 만화에서 재미있는 것은, 두 명의 시간 조종자의 능력이 충돌하는 경우가 나타난다. 과연 시간을 멈추는 사람과 시간을 돌리는 사람의 능력이 동시에 발동하면 어떤 현상이 일어날까? 기존의 시간 조작이 한 능력자에 한정되었던 것과는 달리, 이 만화에서는 시간과 관련된 여러 명의 능력자가 등장하면서 또 다른 상상의 세계가 펼쳐지고 있다.

인간은 항상 일상과는 다른 새로운 세상을 만나보고 싶어 한다. 시간의 변형을 시도하는 상상력도 그러한 욕망에서 출발한다. 그리고 사람들이 시간을 변형시키는 방법이 다양한 것은 그들이 상상하고 경험할 수 있는 시간의 개념들이 다양하기 때문이다.

시간을 조작하는 힘도 하나의 능력이다. 사실 벤의 경우, 정지된 시간을 상상하여 그림을 그렸다기보다는, 정지된 시간을 상상할 수 있었기 때문에 그런 그림을 그릴 수 있었다라고 얘기하는 것이 더 정확한 설명일지도 모른다. 유한자로서의 인간이 가지고 있는 시간 상상 능력은 일종의 생존방식이다. 유한자인 인간이 무한을 꿈꿀 수 있는 특권이 없었다면 그는 더 이상 인간이 아닐 것이다. 인간이 인간인 한 그는 끊임없이 시간을 비틀고 시간을 조작하여 무한한 상상의 세계로 항해할 수밖에 없다. 영원한 시간여행자. 여기에 호모이마기난스의 본질이 있다.

인간이 시간을
이겨내는 방법

우리는 시곗바늘이 한 칸씩 움직일 때마다, 달력의 한 날짜가 지날 때마다 다시는 돌이킬 수 없는 과거에 향수를 느끼게 된다. 시간의 힘은 절대적이기에, 유한한 존재인 인간은 그 앞에서 무력감을 느끼며 무릎을 절로 꿇게 된다. 그러나 아이러니하게도 이러한 절대적인 시간을, 즉 시간이라는 무한대의 양태를 분절하고 수치화한 것은 결국 인간 자신이었다. 결국 숫자로 매긴 시간이라는 것도 상상력의 산물이다.

다양한 상상력으로 시간을 다룬 사람들은 특히 예술가들이다. 어떤 예술가들은 시간의 흐름 앞에 한없이 나약한 인간과 시간이 갖는 애처로움을 그렸다. 또 어떤 예술가들은 시간 자체를 그려보려고 시도했다. 심지어 어떤 예술가들은 스스로 시간이 되겠다고 나서기도 했다. 그리고 오늘날과 같은 디지털 미디어 시대의 예술가들은 시간을 이겨내려고 하며 스스로 시간을 만들어내고 있다. 이렇게 시간은 예술가들에게 너무나도 중대한 주제이다.

예술가들은 왜 시간에 집착했던 것일까? 여기서 우리는 다시 하이데거를 생각하게 된다. 앞에서 우리는 인간을 인간이게 하는 것은 인간이 자신의 존재를 미래에 투사하는 것이라고 했다. 하이데거는 그래서 인간이 '자기를 앞질러' 실존한다고 생각했다. 시간을 다루는 예술은 바로 그러한 실존의 행위다. 작품을 남기는 행위는 자신이 사라진 후에도 존재하게 될 미래의 자신의 흔적을 남기는 행위이다. 또한 이것은 시간의 지배를 이겨내고자 하는 인간의 몸부림이라고도 할 수 있다. 그런 의미에서 시간에 대한 예술적 상상력은 바로 시간의 무한한 지배 위에 인간을 다시 세우는

그림 23 살바도르 달리, **기억의 지속**, 1931.

행위인 것이다.

그림23은 너무나도 유명한 살바도르 달리

의 〈기억의 지속〉이라는 그림이다. 이 그림은 달리의 꿈속 세계를 그리고 있다. 꿈속에서 시간은 어떻게 느껴지는가? 그것은 멈추기도 하고 거꾸로 가기도 하고 영원히 끝나지 않을 것 같기도 하다.

달리의 꿈속 시계는 녹아내리고 있다. 마치 꿈이 영원히 끝나지 않을 것처럼 말이다. 잠을 자고 있는 얼굴 형체 위로 시계가 축 늘어져 있는 모습은 영원히 꿈속의 멈춘 시간 속에서 빠져나가지 못하게 하는 것 같다. 뒤로는 달리의 고향인 스페인 카탈루냐 지방의 황량한 바닷가가 펼쳐져 있다. 사실 달리는 부인인 갈라와 결혼하면서 아버지와 크게 싸워 도망치듯 고향을 떠났다. 그래서 달리에게 고향은 그리우면서도 가족에 대한 슬픈 추억들로 얼룩져 있었을 것이다. 꿈속에서 고향을 다시 찾은 달리는 깨어나고 싶으면서도 깨어나기 싫고 시계가 녹아 멈춘 것처럼 갇힌 것 같은 느낌을 받았을 것이다. 달리는 그 꿈에서 깨어난 뒤 이 그림을 그렸다. 실재 세계의 시간 속에서 꿈속의 시간을 그림으로써 시간과 관계없이 현존하는 '기억의 지속'을 그린 것이다. 달리는 기억이 꿈속에서 멈춰버린 시간을 그려냄으로써 자연적인 시간의 지배를 넘어섰다.

우리는 종종 만화에서 빨리 달리는 장면을 묘사하기 위해 캐릭터의 다리를 여러 개 그리는 것을 보곤 한다. 그런데 그런 만화들이 등장하기 훨씬 이전인 1912년에 미래파 예술가들 중 한 명인 자코모 발라는 〈가죽끈

그림 24 자코모 발라, **가죽끈에 매인 개의 연속운동**, 1912.

에 매인 개의 연속운동〉이라는 그림을 그렸다. 미래파는 산업

혁명이 한창 진행 중이던 1900년대 초에 등장한 예술 사조였다. 산업혁명 시기 등장한 기차는 기존에 정태적으로 존재했던 시간의 흐름을 깨뜨리는 상상력의 산물이었다. 기차는 자연적으로 흐르는 시간을 굉음과 함께 앞질러 가버린다. 이 속도의 미학, 즉 정적인 시간을 깨부수고 지나가버리는 역동성의 미학이 20세기 초 아방가르드 예술가들을 매료시켰다. 예술가들은 속도야말로 새로운 시대의 예술이라고 인식했으며, 그리하여 그들은 빠르게 지나가는 시간을 그리는 것에 도전하기 시작했다.

발라의 그림을 자세히 들여다보자. 그리고 그것이 기존의 시각 예술과 어떻게 다른지 주목해보자. 한 귀부인이 개를 데리고 산책하는 모습을 그린다고 가정해보자. 동시대의 다른 화단의 화가들은 어떻게 그렸을까? 인상주의 화가들은 귀부인과 개에게서 비치는 빛과 색채를 그리려 했을 것이고, 표현주의 화가들은 귀부인과 개의 형체를 뒤틀며 그들의 내면에 감춰진 감정을 표출하려 했을 것이다.

만약 귀부인과 개의 모습을 사진으로 찍었으면 어떠했을까? 그들의 움직임 자체보다는 단순히 한 장면만이 포착되었을 것이다. 발라는 이것을 넘어서 귀부인과 개의 역동적 움직임, 즉 시간의 흐름 자체를 그림에 담으려고 했다. 이를 위해 발라는 귀부인과 개의 움직임이 눈에 비칠 때 나타나는 망막의 잔상을 그리고 그들이 움직이는 방향에 따라 힘찬 선을 그어

역동성을 부여했다.

미래파는 기술의 발전과 함께 등장한 힘찬 움직임, 자연적 시간의 흐름을 이겨버린 기계적 역동성을 찬미했다. 그들은 1909년 2월 '미래주의 선언'을 통해 이런 자신들의 미적 관점을 천명했다(미래주의 선언문 제4항).

"우리는 속도의 미라는 새로운 미로 풍요로워진 세계의 위대함을 천명한다… 자동차 경주는 폭발하는 기구가 돌진하는 것처럼 보이며 '사모트라케의 승리의 여신상'보다 아름답다."

미래파 예술가들이 기계 문명이 낳은 속도를 그토록 찬미한 이유는 그것이 한없이 시간 앞에 무력한 존재로만 있던 인간이 시간을 이겨내는 방법이라고 생각했기 때문이다.

시간이 되어버린 예술가

시간을 그리는 것을 넘어 이번에는 스스로 시간이 되기로 한 예술가가 있다. 커다란 캔버스 앞에 한 화가가 서 있다. 이 사람은 무엇을 그리고 있는 것일까? 좀 더 자세히 캔버스를 들여다보면 이 화가는 그림을 그리고 있는 것이 아니라 하얀 글씨로 숫자를 까마득하게 적고 있다는 것을 알 수 있다. 또 화가 앞에는 마이크가 드리워져 있고 그의 옆에는 녹음기가 놓여 있다. 무엇을 녹음하고 있는 것일까? 귀를 기울이면 화가가 폴란드어로 숫자를 세면서 녹음을 하고 있는 것이 들린다. 이렇게 하여 화가의 하루 작업이 끝난다. 그는 카메라 앞으로 가 자신의 얼굴 사진을 찍는다. 이 화가는 1965년부터 지금까지 매일매일 이런 작업을 반복하고 있다.

　화가의 초상 사진들을 보고 있으면 그가 조금씩 늙어가는 모습을 통해 우리는 시간의 흐름을 느낄 수 있다. 그의 늙어가는 모습은 시간에 못 이

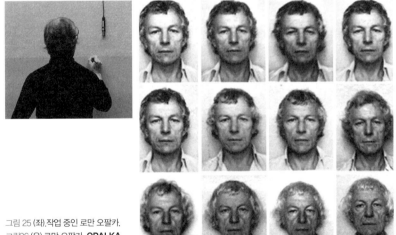

그림 25 (좌).작업 중인 로만 오팔카.
그림26 (우).로만 오팔카, **OPALKA**
1965/1−∞.

겨 스러져가는 인간상이 아니라 시간 자체를 나타낸다. 이 화가의 이름은 로만 오팔카이다.

그는 상업주의 미술이 활개를 치고 있는 가운데 묵묵히 1965년부터 오로지 한 작업, 〈OPALKA 1965/1-∞〉에만 몰두하고 있다. 그는 시간의 흐름을 형상화하기 위해 숫자를 캔버스에 가득 메우고 자신의 모국어인 폴란드어로 숫자를 세어 소리를 녹음한다. 그리고 하루의 섹션이 완료될 때마다 자신의 얼굴을 사진으로 찍는다. 그리고 캔버스 작업과 녹음한 소리, 일련의 사진들을 모두 모아 하나의 설치작업으로 선보이고 있다. 그의 작업은 그가 죽을 때까지 계속될 것이다. 살아 있는 동안 그는 '살아 있는 시간'이 되는 것이다. 이렇게 매일매일 자신의 존재를 시간 속에서 확인하는 그의 작업은 인간이 스스로 자신의 존재를 미래에 투사한다는 하이데거의 개념을 구현하고 있는 것이다.

디지털 미디어를 통해서 이제 예술가들은 스스로 시간의 신이 되어 시간을 만들어내고 있다. 바로 영상과 같은 시간 매체(time-based media)를 통해서이다. 디지털 미디어를 이용하여 예술가들은 자연적 시간의 흐름을 이겨내고 인간의 뜻대로 시간과 서사를 만들 수 있다는 것을 보여주고 있다.

그 예로 스테판 윌슨의 〈기억의 지도〉는 나의 시간이 나만의 것이 아니라 타인의 것이 될 수 있고, 타인의 시간 또한 나의 시간이 될 수 있다는 상상력을 보여주는 작품이다. 기다란 복도가 등장하고 복도 중간에 설치물이 놓여 있다. 사람이 복도를 걸으면 자신의 앞쪽으로는 자신의 소싯적 사귀었던 애인에 대해 얘기하는 나이 든 사람의 목소리가 들리고, 뒤쪽으로는 미래에 대한 기대로 한껏 부풀어 오른 젊은 여자의 목소리가 들린다. 조금 더 걸어가면 좀 더 나이가 많은 아저씨가 자신이 인생에서 이루었던 것에 대해 이야기한다.

　이 복도는 이른바 '시간의 복도'로, 지금까지 이곳을 방문한 사람들의 기억이 모두 저장되어 있다. 이 작품 앞에 서는 사람들은 자신의 인생에서 가장 중요했던 시기나 기억에 남는 사건들 그리고 자신의 나이와 성별을 이야기한다. 이렇게 모인 데이터들은 새로 온 사람의 나이와 성별에 따라 복도를 채운다. 사람들의 기억이 물리적인 공간인 복도에서 재생되는 것이다. 〈기억의 지도〉는 정태적으로 흐르는 시간이 아니라 인간의 상호 소통을 중심으로 시간이 재편성되는 상상력을 보여주고 있다.

상상, 시간을 지배하다

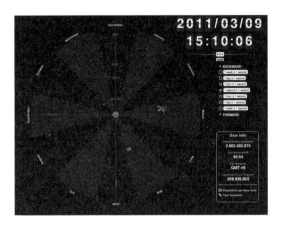

그림 27 〈일하는 세계〉 사이트.

위 사진은 〈일하는 세계(WorldatWork)〉라는 사이트의 모습이다. 이 사이트는 독창적인 아이디어가 돋보여 2009년 구겐하임 미술관에서 온라인으로 전시되었다. 사이트의 메인 페이지를 보자. 태양계의 모습과 함께 날짜와 시간을 알려주는 시계가 보인다. 이 사이트는 태양계에서 현재 일하고 있는 생물의 수를 실시간으로 알려주고 있다.

이제 우리는 가상의 시공간에서 또 다른 태양계를 만드는 일도 가능하게 된 것이다. 더 놀라운 점은 이 사이트에서 우리는 시간을 얼마든지 앞으로 또는 뒤로 자신의 마음대로 흐르게 할 수 있다는 점이다. 이 가상의 태양계에 접속한 사람들은 얼마든지 우주를 한 주 앞으로 혹은 한 주 뒤로 1초 만에 움직일 수 있다. 그리고 시간의 흐름에 맞춰 태양계에서 일하는 생물들의 분포도가 조금씩 변화되는 것을 볼 수 있다.

이렇게 시간을 자유자재로 과거로 미래로 돌려보면서 일하고 있는 생물의 수를 관찰하다 보면 한 가지 당연하면서도 흥미로운 사실을 발견할 수 있다. 각 행성에는 일하는 생물의 수와 분포가 분홍색 그래프로 나타나게 되어 있는데 지구 이외에는 그것이 표시되지 않고 있다는 것이다. 즉 모든 행성에는 분명 똑같이 시간이 존재하는데, 인간만이 안타깝게도 지구의 지적 생물로 태어나 시간에 쫓겨가며 일하고 있는 것이다.

이처럼 〈일하는 세계〉는 우리가 지금까지 다루었던 시간에 대한 이야기를 넘어 시간을 우주적 차원에서 다루고 있다. 사실 생각해보면, 지금 우리를 쫓는 시곗바늘의 시간을 우주적 차원에서 본다면 정말 보잘것없는 것은 아닐까. 우리가 굳이 시간에 쫓기며 살아야 하는 것일까? 오히려 그러한 시간으로부터 벗어나 무한한 상상을 펼치면서 보다 새로운 삶을 만들어갈 수 있지 않을까? 시간 상상력은 바로 인간의 그런 욕망에 대한 대답이 아니고 무엇이겠는가. 그러기에 상상하는 인간은 시간에 대한 다채로운 상상을 계속해나갈 것이다.

100여 년 전 타임머신이란 개념이 처음 세상에 등장했을 때, 시간의 흐름을 거스를 수 있다는 사실 자체만으로도 많은 사람들의 관심을 얻기에 충분했다. 하지만 그 후 몇 차례의 영화로 타임머신은 재탄생했고, SF의 고전이 되어버린 〈백 투 더 퓨처〉 등의 작품을 거치면서 단순히 시간의 흐름을 조작하는 것은 이제는 그다지 새로운 소재가 아닌 것으로 인식되고 있다. 그래서 시간 상상력의 범위 자체가 넓혀지고 다각화될 수밖에 없었다.

영화에서만 보더라도 앞에서 예를 든 〈벤자민 버튼의 시간은 거꾸로 간다〉 같은 사례처럼 정상적인 시간의 흐름 속에 비정상적인 삶을 사는 인물의 이야기를 그린 작품이 나타나기도 했다. 또한 〈나비효과〉나 〈시간을 달리는 소녀〉에서처럼 한 개인이 시간을 되돌릴 수 있는 초능력을 가지는 작품도 인기를 끌었다. 그리고 할리우드에서 리메이크될 정도로 좋은 평가를 받았던 〈시월애〉에서는 영화 속 시간의 구조를 두 가지로 설정함으로써 서로 다른 시간을 동시에 살아가는 보다 복잡한 아이러니한 상황을 그려내기도 했다.

이처럼 '시간'이란 현상은 갈수록 다양한 방식으로 새로운 상상력의 소재로 활용되고 있다. 시간은 단순히 영화나 소설, 만화의 소재로 활용될 뿐 아니라 극의 구성 방식의 하나로서 이야기를 보여주는 순서, 즉 내러티브의 시간을 재구성하는 방향으로 인간의 상상력의 욕망을 자극하기도 한다. 즉 현실세계에서 인간은 사건이 일어난 순서대로 지각하고 사고하게 되는데, 바로 이 기본적인 지각의 순차적인 흐름 자체를 재구성하는 시간 상상력이 대두되고 있다. 그렇게 재구성된 시간은 인간의 기본적인 지각활동과 충돌을 일으키며 내레이션의 효과를 극대화할 수 있게 된다.

대표적으로 영화 〈메멘토〉에서는 시간의 흐름을 극단적으로 뒤집어 배치함으로써 관객의 긴장감을 고양시키고 있으며, 영화 〈박하사탕〉의 경우는 그러한 역순행적인 구성이 주인공을 이해하는 단서가 되기도 한다.

물리적인 실제 시간과 영화 안 가상적 시간과의 관계성을 찾으려는 시도도 새로운 시간 상상력의 한 형태이다. 미국의 인기 드라마 시리즈 〈24〉는 작품 속 시간과 실제 시간이 같은 속도로 흘러간다. 1시간 분량의 1회분 24편이 모여 하루의 이야기를 그려내는 것이 이 드라마의 주된 형식이다. 이 독특한 내러티브 시간 구조에 대한 발상은 전 세계적으로 엄청난 관심을 불러일으켰다. 한국에서는 비록 큰 관심을 끌진 못했지만 김기덕 감독의 〈실제상황〉, 송일곤 감독의 〈마법사들〉 등 일련의 영화들도 실제 시간의 흐름과 영화 속 시간의 흐름을 동일하게 만들고 있다.

이러한 방식은 상상력이 발현된 이야기 속에 실제 시간과의 연결고리를 넣음으로써 그것이 오히려 현실성을 획득하는 장치로 작용하게 된다. 이처럼 상상은 단순히 상상으로서 뿐만 아니라, 오히려 현실과의 강력한 상관관계를 통해서 더 강력한 상상으로 발전한다.

인간의 상상력은 시간에 대한 다양한 접근을 시도하고 있다. 비단 영화 속 이야기뿐 아니라 다양한 분야에서 시간 상상력의 활용 사례는 어렵지 않게 찾아볼 수 있다. 마케팅 분야에서도 우선 사람들의 관심을 끌 수 있는 이슈를 퍼뜨리고 그 후에 자신의 브랜드와 연결 지음으로써 사람들의 지각적 시간을 되돌릴 수 있는 방식, 이를테면 "아! 며칠 전에 보았던 ○○가 △△였구나" 하는 식의 방식이 널리 유행하고 있다. 소위 티저 광고 형식이다. 과거 한 사이트의 광고였던 '선영아 사랑해' 같은 경우가 대표적이라 할 수 있겠다. 이 광고는 2000년 상반기 가장 커다란 반향을 불러일으켰던 광고 중 하나였으며 아직도 많은 사람들이 기억하는 광고 중 하나로 남아 있다. 이처럼 시간에 대한 상상력은 무궁무진하며 문학, 예술, 영화를 넘어 광고 마케팅 분야로까지 확장되고 있다.

사람은 누구나 하루를 살아가고, 그 주어진 시간은 인간이 속박되어야만 하는 굴레이다. 인간은 태어나고 시간이 지나면 나이가 들고, 병들고

인간의 시간 상상력이 영원한 이유는 무엇일까?

결국 죽음을 맞이한다. 생로병사의 굴레, 인과의 굴레로부터 벗어나려는 인간의 영원한 욕망이 있기에 또한 시간으로부터 해방되려는 인간의 영원한 시간 상상력도 지속될 것이다.

4부.
차원의 벽을 넘어서,
공간 상상

공간을 떠도는
영원한 방랑자

희망의 철학자 에른스트 블로흐의 사상적 기반에는 각 유기체가 자신의 현실로부터 자신의 가능성을 구현하기 위해서 부단히 움직이고 있다는 생각이 깔려 있었다. 유기체의 이러한 움직임은 결핍으로부터 유래하며 이 결핍이란 '존재가 불완전하다'는 것의 다른 표현에 지나지 않는다. 블로흐에게 모든 존재는 '이미 존재하는 것'이 아니라 '아직 존재하지 않는 것'이기에 그 자신의 본성을 끊임없이 완성해가야 하는 것이다. 상상하는 인간의 존재는 바로 여기에 기초하고 있다. 상상력은 변형된 세계를 향한 인간의 열망이요 모든 사회에서 현존하는 것을 넘어서려는 추동력으로 이해될 수 있다.

상상하는 인간은 보다 나은 세계를 향한 꿈, 세대를 거듭한 꿈들이 여전히 미완성임을 인식한다. 그래서 상상력에는 세계를 변혁하려는 의지가 숨어 있다. 그리고 상상력은 미래를 향하여 움직임 자체를 유발시키는 동력이다. 상상하는 인간은 그래서 이 세상에 없는 공간을 만들어내고, 현실에 좌표를 가지고 있지 않은 머나먼 공간으로의 항해를 감행한다. 현실을 이탈하는 공간은 깊은 숲, 지하의 세계, 달나라, 태양의 나라, 혹성들에까지 이르고 있다. 비현실적 공간으로의 여행은 일차적으로는 현실을 떠나는 행위이다. 그러나 그것은 동시에 현실을 되돌아보는 행위이기도 하다.

역사에서 예를 찾을 수 없는 허구적 상상공간은 그것이 닻을 올린 역사적 맥락을 결코 떠날 수 없기 때문이다. 약화된 그리스 도시국가와 강력한 스파르타의 모범을 생각하지 않고는 플라톤의 철저한 계급적 이상국가를 이해할 수 없다. 이기주의적 이윤 추구욕에서 농경지를 양 사육을 위한 목초지로 바꿈으로써 다수의 소작농들을 실업자로 만들었던 대지주들의 횡포를 생각하지 않고는 모어의 유토피아 상상에 나타난 사유재산 폐지론을 이해하기 힘들다. 이탈리아가 서로마제국의 멸망 이후 한 번도 정치적인 동일성을 찾지 못했다는 사실을 생각하지 않고는 왜 캄파넬라가 《태양의 나라》에서 철저한 종교적 통일성을 목표로 하는 질서에 집착하고 있는지 이해하기 어렵다.

이러한 공간 상상은 모두 현존하는 것을 넘어서려는 추동력으로서의 상상력이다. 그리고 그것은 부정적 현실의 반대 상을 기획하는 구성적 이성의 여행이다. 그것은 노동이 없어도 자연이 풍요로운 결실을 보장해주는, 역사 이전에 존재하고 있는 신화적 황금시대가 아니라 호모파베르가 건설해야 하는 이상적 삶의 질서이다. 공간 상상력으로서의 유토피아는 자연을 유용하게 이용하려는 호머 파베르의 자의식의 산물이다.

이 점에서 상상력은 곧 근대적 의식의 산물인 것이다. "주체의 가능성 감각에서 생겨난 유토피아는 행복에 대한 태고적, 논리 이전의 원초적인 꿈에 기초하고 있는 것이 아니라, 잘못된 법이 인간의 행복을 막고 있는 역사적인 현실에 반대되는 복안으로서 그때그때마다의 역사에 뿌리박고 있다."[24] 공간 상상이 현실에서 멀리 떨어져 있을수록 그만큼 현실에 대한 풍자와 사회비판적 잠재력은 강화된다. 상상하는 인간의 공간 상상은 현실과 이상이라는 수레바퀴를 굴리는 에너지이다. 그래서 인간은 공간을 떠도는 영원한 방랑자이다.

절망으로부터
상상된 공간

현대는 유토피아라는 말이 남발되는 사회이다. 우리는 도처에서, 유토피아가 존재하고 있음을 인식하라는 강요를 받고 있다. 그 어디서도 찾아볼 수 없던 유토피아가 이제는 도처에 존재하고 있음을 호소하고 있다. 그것은 특히 아직 오지 않은 것을 이미 왔다고 선전함으로써 구매효과를 노리는 자본주의 시장의 한 현상이기도 하다. 아직 실현되지 않은 것을 실현되었다고 기만함으로써 희망이라는 이름으로 은폐되어 있는 기만을 그대로 노출시킨다. 그리하여 일순간의 희망을 심어주고 잠시 동안의 만족을 통해 우리의 상상력을 방해한다. 기술문명의 기만과 자만의 표현이다.

그럴수록 우리는 아직 오지 않은 것에 대한 기다림과 기대를 갖게 된다. 현대는 오히려 유토피아에 대한 동경을 강화시켜주고 있음을 인식하는 자체가 중요한 시대가 되어버렸다.

인간이 개체로서 기술과 사회조직의 무방비 상태로 내맡겨져 있는 현대의 부정적인 유토피아를 만나기 전에 우리는 플라톤과 모어, 캄파넬라에게서 이미 똑같은 양상의 디스토피아를 만날 수 있었다. 부정적인 유토피아는 퇴락한 사회질서의 공포의 비전을 묘사하고 있다. 이것은 특히 20세기의 시대적 사건, 즉 세계대전, 파시즘, 스탈린주의에 대한 반응으로서 강하게 등장한 것이었다. 디스토피아도 그것이 맞지 않을 것이라는 희망에서 출발하고 있다는 점에서 긍정적인 발전을 지향하고 있다. 그래서 우리는 다시 희망을 가질 수 있을 것이다. 우리는 상상력을 거부하는 유토피아 안에서 상상하는 인간이 되어야 하는 운명을 안고 있음을 숙지해야 한다.

더 넓은 규모의 규범과 규칙이 20세기의 디스토피아 공간 상상을 규정하고 있다. 헉슬리와 오웰의 반유토피아가 그것이다. 헉슬리의 《멋진 신세계》는 세계국가를 그리고 있는데 그곳의 국민들은 프랑스 혁명의 이상을 변형시킨 'Community-Identity-Stability'라는 구호에 따라 살고 있다.

계급으로 나뉜 이 사회에서 계급들의 대표자들은 우생학적인 오도를 통해서 그들 상태의 변화에 대한 욕구를 느끼지 않는다. 그들은 철저하게 상상력을 말살당하고 있다. 그들은 양심이나 도덕 따위는 관심 밖이며 오로지 욕구의 충족이라는 목표만을 갖고 있을 뿐이다. 그럼에도 복지의 결핍 형태로 나타나는 규칙 위배에 대한 만병통치제로서 마약인 소마가 사용되고 있다. 이러한 완벽성에 대한 쌍극으로서 보호구역에서 살고 있는 야만적 생활방식이 있다. 소설의 주인공은 두 영역에 다 관계하고 있으며 그 문제로 골머리를 앓고 있다.

현세기로부터 약 600년 후에 올 과학기술의 통제가 극심한 세계중앙집권 사회를 그리고 있는 헉슬리의 《멋진 신세계》의 첫 머리는 인공수정이 실시되는 어셈블리라인(assembly line)이다. 유리 실험관 속에 든 태아가 컨베이어 벨트 위에 실려가는 동안 영아로 태어날 개인적 잠재력은 유전자의 선정과 약물의 처리라는 두 가지 방법으로 규제된다. 그다음에 생명의 주기에서는 인간 개인의 취향과 태도와 행동양식은 끊임없는 조련을 통해 교묘하게 조절된다. 소위 수면교육을 통해 개성과 자유를 거부하는 사회에 순응하도록 만들며 어머니나 아버지의 개념을 개인의 머릿속에서 몰아내어 가정보다 국가와 사회에 충성을 다하는 성원들이 생산된다. 이성

관계에 있어서도 쾌락의 추구를 목적으로 하는 유희로서의 성만을 권장한다.

자먀틴의 《우리들》은 미래의 통합된 세계 단일국가를 무대로 하고 있다. 그곳에는 인간들이 번호로만 존재한다. 그리고 상상력을 제거하는 외과수술을 개발하고 있다. 단일국가에서는 국가에 봉사한다는 것 이외의 어떤 욕망도 허용되지 않는다. 국가는 욕망과 상상과 예술을 말살하기 위해 모든 수단을 동원한다. 사람들은 고독감을 갖지 못하도록 그리고 감시를 용이하게 하기 위해 유리로 된 아파트에 살고 있다.

《우리들》은 200년간의 끔찍한 전쟁에서 살아남은 인간들이 지구 위에 구축한 가공의 단일제국 모습을 그리고 있다. 도시는 수정은 아니지만 유리로 둘러싸여 있다. 그곳에서 모든 국민은 똑같은 청회색의 제복을 입고 개성이 완전히 무시된 투명한 유리건물에 살며 이름 대신 번호로 불린다. 그들의 삶 전체는 '시간율법표'와 '보안요원'의 통제를 받으며, 독재자 '은혜로운 분'은 지상의 신으로 군림한다.

과학문명의 정점에 도달한 이 사회에서 모든 비합리적인 것, 감상적인 것, 개인적인 것은 이성과 효능의 집단화로 대치되며 삶의 중심은 결과적으로 '나'의 개념으로부터 거대한 기계의 동등한 톱니바퀴인 '우리'의 개념으로 전이된다. 이것은 비록 그 배경이 29세기라고 하는 요원한 미래사회이긴 하지만 이성과 합리주의가 궁극적으로 초래한 세계의 형상이다.

이성과 자연의 기계적인 법칙을 지적하기 위해 2×2=4라는 유클리트 기하학의 원칙이 여기서도 사용되었고 과학만능주의와 합리주의의 상징인 '수정궁'은 모든 것이 차갑고 투명한 유리로 이루어진 '단일제국'의 이미지로 귀결된다. 100퍼센트의 비자유와 100퍼센트의 행복이 등가를 이루는 단일제국은 바로 유클리트적 세계의 미래적 재현이며, '은혜로운 분'은 인류에 대한 넘치는 사랑으로 자유라고 하는 무거운 짐을 대신 짊어진 고뇌에 찬 인물이다.

　20세기의 디스토피아 상상은 초창기 유토피아로부터 싹터 나온 것이다. 그것은 희망이라는 이름 밑에 은폐되어 있던 절망으로부터 상상된 것이다. 희망을 위한 절망을 전하는 것이 유토피아 공간 상상의 피할 수 없는 숙명적 이율배반이다.

하늘을 나는
집에 대한 상상

아마도 많은 사람들이 걸리면 걸린다는 '걸리버' 광고를 기억할 것이다. 걸리버가 소인국 사람들에게 그들만 한 크기의 핸드폰을 보여주는 장면이 인상적인데, 핸드폰의 크기와 《걸리버 여행기》 내용을 잘 연결하여 광고 효과를 톡톡히 보았다.

《걸리버 여행기》는 출간된 지 수백 년이 지난 지금까지도 수많은 사람들의 흥미를 불러일으키며 재미를 주고 있다. 스위프트의 《걸리버 여행기》 1, 2부에 나오는 소인국과 대인국은 공간에 대한 상상으로서 크기에 대한 상상을 주제로 삼고 있다.

우리의 몸이 지금보다 훨씬 작아지거나 커진다면 주변 세상과 인간은 매우 다르게 보일 것이다. 오늘날 우리도 SF소설이나 영화를 통해 이런 크기에 대한 상상을 하고 있다. 〈엄마가 작아졌어요〉와 〈아이가 커졌어요〉 등의 영화들은, 인간의 크기가 변하면 주변에 어떤 변화들이 일어날 수 있는지를 상상한 영화들이다. 스위프트의 이러한 크기에 관한 상상력은 인간을 '작게 보고' 또 '크게 봄'으로써 인간의 행태와 어리석음을 풍자하기 위한 것이었다.

한편 걸리버의 세 번째 여행지인 하늘을 나는 섬 라퓨타의 모습은 공상과학소설이나 영화에 나올 법한 테크놀로지의 유토피아 공간이다. 《걸리버 여행기》에서 섬의 모습과 작동 원리는 매우 구체적으로 묘사된다. 라퓨타는 천연자석을 이용해 공중으로 뜰 수 있으며 위치를 이동한다. 그리고 뛰어난 천문학자들이 섬의 움직임이 원활히 이루어지도록 세심하게 계산한다.

이렇게 하늘을 나는 거대한 물체에 대한 상상은 사실 라퓨타 전후로도 지속적으로 나타나는 상상 중 하나이다. 그리스 신화의 이카로스를 필두로 하여 릴리엔탈의 글라이더 개발, 라이트 형제의 비행기 발명도 이러한 상상에서 시작한 것이었으며, 얼마 전 개봉했던 영화 〈업〉에서는 수천 개의 풍선을 달아 그 부력으로 집이 하늘을 나는 모습을 보여주기도 했다.

특히 2008년 10월 삼성건설이 2015년 이후 등장할 미래형 주택으로 제시한 래미안 에어크루즈의 경우 라퓨타의 재현이라 할 수 있다. 래미안 에어크루즈는 건물 디자인을 한국의 방패연에서 차용하고 있는데, 이는 하늘을 나는 집에 대한 상상을 본격화하여 현실로 끌어들인 것이라고 볼 수 있다. 이처럼 하늘에 대한 공간 상상은 계속되어왔고 또한 현실화되고 있는, 어찌 보면 가장 일반적이고 대중적인 상상일지도 모른다.

상상은 여기에서 그치지 않는다. 라퓨타 섬의 레가도 아카데미에서는 온갖 상상적인 과학기술들이 실험되고 있는데, 한 학자는 거미에게 실을 뽑고 직접 실을 짜게 하는 방법을 연구하고 있다. 누에는 실을 뽑기만 하지 거미처럼 그물을 칠 수 없기 때문에 비경제적이란 것이다. 또한 거미에게 색깔을 지닌 파리를 먹여 온갖 색의 비단실을 손쉽게 만들 수 있다. 이런 기술들은 오늘날 가상현실, 유전자 조작 기술의 발달을 예고하는 듯하다.

한 언어학자는 세계에 공통적으로 통용될 수 있는 언어 기계를 발명하고 있는데, 걸리버는 그의 연구에 크게 감명을 받는다. 하지만 쓸데없는 수다를 좋아하는 여자들이 언어학자의 연구를 방해한다. 또한 일부 학자들은 자신만의 세계에 빠져 쓸데없는 기술을 연구하고 있기도 하다.

이러한 레가도 아카데미의 모습은 영국 왕실학회의 모습을 비유적으로 드러내고 있는 것이다. 당시 영국 왕실학회의 학자들은 놀랍고 삶에 이로운 연구를 하기도 했지만, 전혀 쓸데없는 것을 만들어내느라 시간과 돈을 낭비하기도 했다. 그리고 현실에서도 무식한 대중 때문에 귀중한 연구가 엎어지기도 한다.

이처럼 스위프트는 상상적인 레가도 아카데미의 비유를 통해 현실의 문제를 꼬집은 것이다. 또한 라퓨타의 사람들은 너무 많은 지식으로 인해 늘 걱정과 불안에 시달리고 있는 모습을 보여주는데, 특히 그들은 언젠가 태양이 사라져버릴 거라며 항상 근심한다. 너무 알아서 오히려 고통이 되는 것이다. 그렇다면 쌓여가는 지식은, 과학의 발달은 정말 인간의 행복을 보장해주는 것이라고 할 수 있을까? 어쩌면 스위프트는 오늘날 수많은 소설 속에 그려지고 있는 디스토피아의 모습을 수백 년 전에 상상했다고 볼 수도 있다. 무분별한 테크놀로지의 발달은 오히려 인간의 행복을 저해할 수도 있는 것이다.

소인국과 대인국의 상상, 라퓨타의 상상, 그리고 4부에서 나오는 말들의 나라란 상상 등등 새로운 세계의 공간 상상은 그 자체로 매력적이다. 그러한 상상은 앞에서 나온 영화들처럼 재생산되면서 우리에게 흥미와 재미를 불러일으키며, 그것이 래미안 에어크루즈처럼 현실로 다가오기도 한다.

그러나 상상은 단순히 새로운 것을 만드는 것만을 말하지는 않는다. 이미 있는 환상의 세계에서 문제점을 찾아가는 것, 그래서 다시금 현실 세계로 돌아오는 것, 이 또한 하나의 상상이다. 상상을 통해 오히려 현실을 바라보는 것, 그 또한 하나의 상상이며 재미이다. 단순한 상상이 아닌 현실과 연계된 상상, 무한한 상상의 나래를 펼치는 것도 좋지만 이렇게 양쪽을 오가는 것도 또 하나의 재미가 아닐까 싶다. 상상과 현실은 어떻게 보면 동전의 양면일 수 있기 때문이다.

아바타, 환상의 세계를 현실로 체험하다

앞에서 현실과 상상을 오가는 것에 대해 이야기했는데, 사실 이러한 방식의 극치를 보여주는 글은 따로 있는 것 같다. 1865년 발표된 《이상한 나라의 앨리스》를 필두로 하는 루이스 캐럴의 '앨리스' 시리즈가 바로 그것이다.

이 책들의 내용을 보면 단순히 환상세계로 앨리스가 넘어간 내용이 아니라, 이 내용 전체가 앨리스의 꿈 이야기라는 것이 가장 큰 특징이다. 앨리스는 분명 정말 이상한 곳에 떨어졌는데, 이 아가씨는 황당할 정도로 여기에 대해 의식하지 않는다. '어, 이상하네' 하고 느끼는 정도가 한계 수위다. 아무렇지 않게 적응하고 오히려 그 세계를 즐기고 있다는 느낌마저 받을 정도다. 버섯을 들고 멋대로 몸의 크기를 줄였다 키웠다 하면서 수많은 공간들을 여행하고, 고양이 이야기를 해서 새와 쥐를 당황하게 만든다.

그렇지만 동시에, 그 세계 안에서는 자신이 지금 꿈속에 있다는 것을 인식하지 못한다. 그저 그 세계의 한 일원으로 아무렇지 않게 생활하며 모험을 나서고 있는 것이다.

사실 '앨리스'의 내용들에 대해서는 워낙 다양하고 상반된 분석들이 나오고 있기 때문에, 그것만 설명해도 책을 한 권 쓸 판이다. '앨리스'에 대해서 수많은 정치적, 형이상학적, 혹은 정신분석학적인 해설들이 계속해서 쏟아져 나오고 있으며, 그 내용들 또한 나름대로 타당성을 지니고 있다. 하지만 그 전체를 관통하고 있는 해석의 기반이 되고 있는 것은, 그 내용이 꿈이라는 것이다. '앨리스'의 내용은 그것이 앨리스의 꿈이라는 설정에 맞춰 황당한 내용들이 계속 진행되지만, 동시에 꿈인 만큼 그 모든 것들이 현실 세계 내지는 작가 캐럴의 무의식을 반영하고 있는 부분들이 분명히 존재한다. 즉 이것은 단순한 상상, 환상에 대한 이야기가 아니라 여전히 현실 세계와 연결된 그 무엇을 가지고 있는 이야기라고 할 수 있다.

그런데 여기서 떠오르는 것이 하나 있다. 꿈속에서의 이야기. 앨리스는 황당한 이야기와 장소들의 연속 속에 있지만 그것을 그렇게 황당하다고 느끼지 않으며, 그 속에서 계속하여 자신의 이야기를 전개해나간다. 새로운 공간을 계속 찾아가고 등장하는 인물들과 관계를 맺는다. 이것은 마치 온라인 게임과도 비슷하다. 게임 속에서 플레이어는 캐릭터, 아바타를 조종하여 던전[25]을 탐사하고 다른 플레이어나 NPC[26]들과 관계 맺음을 한다. 그것은 분명 현실 세계와는 다른, 어쩌면 황당하다고 할 수 있는 다른 세계 공간이다. 그러나 그 속에서의 플레이어는 그것을 단지 황당하다고 느끼지 않고 그 속에 몰입한다. 죽는다 하여 아픔을 느끼진 않지만, 순간 '헉' 하는 소리를 내며 허탈한 한숨을 쉰다.

결국 '앨리스'라는 작품에서 꿈속을 헤매고 있는 앨리스는, 동시에 실존하는 앨리스의 아바타와 같은 존재이다. 비록 그 속에서 앨리스가 다치거나 죽어도 실제의 앨리스에게 어떤 문제가 발생하지는 않겠지만, 그래서 이는 비록 꿈일 뿐이지만, 그녀는 그 속에 몰입하여 실제로 그 세계에 살고 있는 것처럼 생활한다.

몰입을 얘기하다 보니 영화가 한편 떠오른다. 얼마 전 개봉하여 세계에 충격을 주고 수많은 기록을 갱신했던 그 영화, 바로 제임스 카메론 감독의 〈아바타〉이다. 이 영화는 그 스토리에서부터 시작하여 그 영화가 노리고 있던 목적까지, 모든 것이 몰입이라는 키워드와 관련을 맺고 있다. 일단 스토리에서 등장하는 아바타라는 대상 자체가 몰입의 일종이다. 아바타란 판도라 행성의 토착민인 나비(Na'vi) 족의 외형에 인간의 의식을 주입하여 원격 조종이 가능하도록 만들어낸 새로운 생명체이다. 물론 판도라는 영화 내에서는 현실계이지만 인간이 직접 움직일 수 없는 독성의 대기를 가진 공간이다. 인간이 있을 수 없기에 그곳은 인간에게 현실이라기보다는 환상의 세계에 가깝다. 그러나 그 중간 매개로 아바타라는 대상을 사용하여, 이 가상공간이나 다름없는 세계를 현실로 체험하는 것이다.

심지어 실제 관객에게도 이러한 몰입이 영향을 미치고 있다. 2010년 1월 11일, 미국 CNN 인터넷판은 영화 〈아바타〉를 본 일부 관객들이 우울증이나 자살충동 등을 호소하고 있다고 보도했는데, 이 같은 이유에 대해 "관람객들이 영화 속 외계 행성 판도라에 강하게 매혹됐기 때문이다"라고 지적했다. 이에 대해 정신과 의사인 스티븐 켄자이는 "영화의 특수효과가 너무 진짜 같아 관객들로 하여금 판도라라는 외계 세계를 직접 거닐고 있다는 느낌을 준다"라며 "이로 인해 몇몇 관객은 현실과 영화 사이에서 분리불안장애를 겪기도 한다"라고 지적했다. 카메론 감독이 영화에서 창조한 상상의 공간 판도라는, 3D 기법이라는 방식을 통해 그를 보는 관객조차 몰입하여 혼동을 가지게 하는 공간으로까지 발전한 것이다.

공간의 상상은 얼마든지 가능하다. 사실 수많은 공간들이 판타지라는 이름으로 또는 SF라는 이름으로 계속해서 등장하고 있다. 그러나 단순히 그것이 하나의 공간으로 상상되는 것에 불과하다면, 이질적인 대상에 불과하다면, 그것은 그 힘을 온전히 발휘할 수 없을 것이다. 그것이 정말 우리에게 힘을 발휘하기 위해서는 그것에 우리가 몰입하는 과정이 필요하다. 그것은 '앨리스' 시리즈와 같이 꿈의 형태로의 몰입일 수도 있고, 영화 〈아바타〉와 같이 극도의 현실감을 부여하는 기술의 방법일 수도 있다. 그러나 그것이 어떠한 방법이든 간에, 이러한 몰입의 효과는 공간의 상상이 단순히 공간의 상상으로 그치는 것이 아니라, 그것이 또 하나의 현실과 같이 다가오도록 하는 힘으로 작용할 것이다.

공간에 대한
네버엔딩 상상

게임과 몰입 등에 대해 이야기한 김에 그쪽을 한번 살펴보자. 세계의 상상과 관련해서 재미있는 게임이 있다. 바로 〈심시티(Simcity)〉라는 게임이다. 미국의 맥시스의 게임 디자이너 윌 라이트가 1989년 개발한 도시건설 시뮬레이션 게임인 〈심시티〉는 사용자가 한 시의 시장이 되어 도시를 건설해나가는 내용으로 구성되는데, 플레이어는 주거지구, 산업지구, 상업지구를 적절하게 배치하여 시민들이 되도록 많이 살도록 유도해야 한다.

이 게임의 뒤를 이어 맥시스는 〈심시티 2000〉과 〈심시티 3000〉, 〈심시티 4〉 등 소위 〈심시티 시리즈〉를 계속 개발 중이다.

〈심시티 시리즈〉는 비록 도시라는 제한을 가지고 있기는 하지만, 철저한 공간 상상에서 비롯된 게임이다. 플레이어는 자유롭게 자신이 원하는 형태의 도시를 개발할 수 있지만, 동시에 상당히 현실적 문제들을 고려해야 한다. 소위 시장경제 체제다. 〈심시티〉에서의 세계는 철저히 시장경제의 논리로 대부분의 경제적 · 사회적 자원이 시장을 통해 분배되고 있다. 노동 시장이 형성되지 않으면 공장은 돌아가지 않으며 상업 시설도 마비된다. 그렇다고 공장이 없으면 제품이 생산되지 않는 만큼 인구는 점차 감소하고 상업 시설이 없어도 분배가 이뤄지지 않기 때문에 인구는 감소한다. 게다가 플레이어는 갑작스러운 재난 등에 대해서도 대처할 수 있어야 한다. 화재, 홍수, 지진 등은 당연하고 심지어 외계인이 난입해서 몽땅 파괴하고 사라지기도 한다. 이러한 수많은 변수들을 관리 · 대응하는 것이 바로 이 게임의 묘미이다.

여기서 한발 더 나아간 게임이 바로 〈심어스(Simearth)〉이다. 윌 라이트가

그림 28 게임 〈심시티3000〉의 한 장면.

〈심시티 1〉의 성공에 고무되어 러브 박사의 가이아 이론에 기초하여 1990년에 개발한 이 게임은, 제목에서도 알 수 있듯이 행성, 지구를 만드는 게임이다. 이 게임에서는 플레이어가 한 행성을 이끄는 절대적 존재로 등장하며, 미생물부터 시작하여 나노 시대, 우주로의 여행까지를 진행하는 게임이다. 도시 차원을 넘어 이제는 지구라는 차원의 더 넓은 공간을 다룬다.

〈심시티〉가 '시장경제론'에 기반하고 있다면, 〈심어스〉의 기반은 앞에서 말한 대로 '가이아 이론'이다. 이 이론은 지구를 하나의 생명체로 보는 이론인데, 그 과정에서 생물계와 무생물계라는 전혀 다른 대상들이 서로 영향을 주고받으며 지금 지구의 생명의 존재는 무생물계, 즉 환경이 생물계에 의해서 조정되었을 뿐 아니라 생물계를 위해서 환경이 맞춰졌다는 것이다.

이 이론에 따라 100억 년이 지나 태양이 파괴될 때까지의 시간 사이클을 플레이어는 환경에 맞게 진행하면 되는 게임인데, 플레이어는 시나리오 모드를 통해 금성, 화성, 빙성 등의 다른 행성들을 진행할 수도 있다. 또한 플레이어가 키우는 각 종족은 대이주(exodus)나 멸망을 맞고, 사이클이 남아 있는 한 또다시 시나리오를 진행하며 새로운 종족을 키워가는 과정으로 진행된다. 공간에 대한 네버엔딩 스토리, 네버엔딩 상상이다.

한편 이와 연결된 또 다른 게임이 있다. 바로 〈스포어〉이다. 이 또한 윌라이트와 맥시스에 의해 개발된 게임으로, 플레이어는 미생물부터 시작하여 진화 과정을 거치면서 문명을 창조해 우주로 진출하는 과정을 진행하게 된다. 기존 〈심어스〉 시스템에서 종족을 만들어내고 직접 인도하지 못했던 한계를 넘어서서, 이제는 한 종족을 지배하는 새로운 시스템을 개발한 것이다. 그러나 단순히 종족만 지배하는 것이라면 공간에 대한 상상으로는 부족할지도 모른다.

〈스포어〉의 본질은 종족의 개발이지만, 이것이 단계를 넘어가면서 나타나는 것은 문명과 도시의 개발이다. 이 부분에서 〈심시티〉와 비슷한 맥락을 가진다고도 볼 수 있는데, 여기서 플레이어는 단순히 도시를 건설하는 것이 아니라 해당 종족의 건물 양식, 차량, 배, 비행기, 우주선의 형태까지도 결정하게 된다. 즉 플레이어는 한 종족을 담당하고 있지만, 그와 동시에 그 종족이 지배하는 세계, 공간을 구성해나가는 것이다.

'심시티' 시리즈를 포함, 맥시스가 개발한 일련의 게임들은 철저히 현실계를 기반으로 하고 있다. 그 속에서는 현실계에서의 과학 개념이 그대로 도입되고 있으며, 현실 세계에서 등장한 이론들에 기반을 두고 게임이 진행된다. 그러나 그렇다고 상상이 약한 것은 결코 아니다.

플레이어는 자신의 뜻대로 수많은 상상들을 진행한다. 비록 현실계를 기반으로 하고 있지만 그곳에서 창조된 세계는 현실 세계와는 전혀 다른 형태로 창조된다. 그것은 오로지 상상하는 이, 플레이어 자신에게만 소속된 공간이다. 이를 통해 '심시티' 시리즈는 도시의 지배자, 국가의 지배자, 종족의 지배자, 그리고 모든 것을 넘어 한 행성의 신에 이르는 공간의 지배자들을 플레이어로 상정한다. 단순한 공간 상상을 넘어 그 공간을 지배하는 것이다. 물론 플레이어가 제어할 수 없는 수많은 사건들이 일어날 수 있다. 심지어 외계인이 나타나서 자신의 세계를 파괴할 수도 있으며, 너무 강력한 종족이 있어 자신의 종족이 힘없이 무너져 내리는 경우도 있다. 그러나 적어도 그 지배자는 플레이어 자신이다.

　이러한 맥시스의 공간 상상은 끝을 찾기 어려울 정도다. 도시를 운영하는 〈심시티〉, 지구를 운영하는 〈심어스〉에 이어 등장한 것은 개미들의 세계를 운영하는 〈심앤트(Simant)〉였다. 〈심사파리(Simsafari)〉나 타사의 게임인 〈롤러코스터 타이쿤〉 등은 동물원, 놀이동산을 운영하는 게임이었으며, 한 발 더 나아가 〈심콥터(Simcopter)〉에서는 헬리콥터를 타고 자신이 〈심시티〉로 제작한 도시를 돌아다니며 재난 등을 방지하는 활동을 하기도 했다.

　이러한 개발의 근원은 무엇인가. 그것에 호응하는 사람들이 있었기에 가능한 것이 아닐까. 실제로 〈스포어〉의 경우 개발 보름 만에 전 세계에서 100만 장이 판매되었고, 한정판으로 나온 〈스포어 갤럭틱 에디션(Galactic Edition)〉은 한국에서 예약판매 당시 일주일 만에 품절되었다. 이처럼 우리는 계속해서 공간에 대해 상상하고, 자신만의 공간을 창조하는 것들을 꿈꾸고, 그것을 충족시킬 것들을 계속해서 찾고 있다. 사실 판타지, SF 등의 환상과 관련된 장르들의 등장 또한 그런 것이 아닐까. 어쩌면 이러한 상상은 인간의 원초적인 욕망인지도 모른다.

신들이 사는 나라

앞에서 우리는 컴퓨터 게임이라는 가장 최근의 문화현상에 나타난 공간 상상에 대해 살펴보았다. 그리고 거기에 인간의 원초적 욕망이 꿈틀거리고 있다는 것을 언급했다. 그렇다면 원초적 욕망이란 말이 나온 김에 더 원초적인 세계로 가보는 것은 어떨까. 상상의 근원, 원형을 찾아가는 것이다. 그것은 바로 신화에 나타난 고대인들의 세계관이다.

이번에는 신화, 그중에서도 고대인들이 신들 또는 신이 사는 세계라고 상상했던 공간들을 여행해보자. 신들의 세계, 그것은 가장 인간과 동떨어진 세계인 만큼 상상의 요소들이 가장 풍부하게 포함될 수 있고, 동시에 그들이 생각하는 세계에 대한 관념이 가장 잘 반영될 수 있기 때문이다.

그리스 신화에서 신들이 사는 공간은 잘 알려져 있다시피 올림포스 산이다. 이 산은 현재 그리스에서 가장 높은 산이지만, 신화에서는 신들이 사는 곳으로 어떤 산이나 하늘을 가리키는 건 아닌 것으로 보인다. 신들의 세계로 넘어가기 위해서는 계절의 여신들이 지키는 구름의 문을 통과해야 하는데, 그 안에는 바람, 눈, 비가 없다고 전해진다. 이곳에서 신들은 암브로시아를 먹고 넥타르를 마시며 살아가고 있다고 한다.

북구 신화에서는 두 종의 신족 무리가 등장하는데, 아스 신족과 바니르 신족이다. 이들은 세계 최초의 전쟁을 벌였다고 알려져 있으나, 이 전쟁은 지리멸렬한 상태에 빠진 끝에 결국 인질을 교환하고 평화조약을 체결하는 것으로 종결되었다. 그러나 과거 멸망했다고 알려졌던 거인족이 멸망하지 않았다는 사실을 알게 된 아스 신족은 전쟁, 외적에 대한 공포에 떨게 되었고, 자신들의 신전을 지키기 위해 인간계의 안쪽에 방어벽을 친 자

그림 29 이그드라실 위에 위치한 신들의 땅, 아스가르드.

신들만의 공간을 만들었다. 이것이
바로 '아스가르드(asgard)', 아스 신족
의 동산이다.

아스가르드의 소재는 확실하지
않으나 우주를 꿰뚫고 솟아 있는
세계수 이그드라실(yggdrasil)의 위에 있는 것으로 알려져 있으며, 신들의 궁
전 지붕 위에는 그 잔가지가 덮여 있다. 그리고 그 잎을 암양 헤이드룬이
먹고 젖 대신 꿀술을 만들어낸다. 이것을 신들이나 발할라 궁에 초대된 전
사들이 마시며 날마다 무예를 닦고 있으며, 주신 오딘은 은의 지붕을 가진
궁전 바라스걀프의 의자에 앉아 세계를 내려다보고 있다. 이 세계는 무지
개의 다리 비프로스트로 지상과 연결되어 있으며, 신 헤임달이 거인의 침
입에 대비하여 항상 파수를 보고 있다.

앞에서 살펴본 고대 신화 속 세계에서 가장 특이한 점은, 신들의 세계가
하늘에 있지 않다는 것이다. 그들의 신은 어찌 보면 인간계와 상당히 가까
운 곳에 위치하고 있다. 단지 구름의 문이나 무지개의 다리 같은 대상으로
막혀 있을 뿐이다. 이는 그들이 신이란 대상을 멀리 떨어진 대상으로 보고
있지 않다는 증거이며, 실제로 이 지역의 신화들을 보면 신과 인간이 공존
하는 대상처럼 보이는 경우가 많다.

제우스의 여성 편력은 신뿐 아니라 요정, 인간을 가리지 않으며, 오딘
과 로키는 인간 세계 여행을 하다가 레이드마르라는 노인 때문에 난쟁이
의 보물을 찾으러 가기도 했다. 이처럼 그들에게 신은 상당히 가까운, 어

떤 강력한 능력을 지닌 인간에 가까웠고, 그에 따라 신들의 세계 또한 가까운 곳에 위치했다.

그러나 그들의 신화 속에는 이러한 세계만이 있을까? 그들의 위에도 하늘은 있었고, 당연히 하늘에 대한 개념이 등장한다. 북구 신화에서는 하늘이 마치 그릇을 엎어놓은 것 같은 형태를 띠고 있는데, 네 명의 드베르그, 즉 난쟁이들이 그 귀퉁이를 받치고 있다고 한다. 또한 천계는 《에다(Edda)》를 저술한 시인 스노리 스툴루손의 분류에 따르면 9개로 구성되며, 그중 가장 아래쪽인 히민(himinn)이 우리가 보는 하늘이라고 한다. 그곳에는 태양의 마차와 달의 마차가 있으며 늑대 스켈과 하티가 그들을 쫓아다닌다고 하는데, 이들이 태양이나 달을 잡아먹으면 일식이나 월식이 일어난다고 한다.

여기서 재미있는 것은 하늘이 9개의 겹으로 이뤄져 있다는 것인데, 이처럼 하늘이 층으로 이뤄져 있다는 생각은 고대 유대 전승에서도 동일하게 나타난다. 구약 외경 중 하나인 《에녹(The Books of Enoch)》에 따르면 하늘은 7개의 층으로 이뤄져 있으며, 그중 제7천인 아라보트에 신이 거주하고 있다고 한다. 이러한 천계 계층설은 고대 사회에서는 상당히 보편적인 것으로, 중세 서양의 천동설에서도 모든 행성들이 각각 크기가 다른 하늘, 수정천구에 하나씩 붙어 있고 그 천구가 각각 회전을 하는 것이라고 생각했다.

사실 천동설이 지동설을 누르고 그토록 오랜 기간 천문학계의 지배적 패러다임으로 작용할 수 있었던 것도, 천동설에서 나오는 계층화된 천구설이 기독교의 전승과 어느 정도 합치될 수 있었기 때문이었다.

불교에서의 세계 또한 계층화되어 있다. 불교에서는 우주를 삼계로 나누어 설명하는데, 이는 인간의 수행 과정과 같다고 볼 수 있다. 이 중 첫 번째 세계인 욕계(欲界)는 성과 몸, 정신이 모두 공존하는 세계로 육도, 즉 현실 세계를 의미하며, 색계(色界)는 성이 사라진, 즉 남성과 여성의 개념이 사라지고 몸과 정신만이 존재하는 세계를 의미한다. 마지막으로 무색계(無色界)는 삼매(三昧), 즉 '사마디(samadhi)'의 단계에 들어선 것을 말한다. 사마디란 들뜨거나 가라앉은 마음을 모두 떠나 평온한 마음을 견지하는 것을 말하며, 이 세계에 들어선 이는 자신이 곧 우주이고 우주가 곧 자신인, 그래서 객관도 주관도 모두 사라진 초월적 경지에 이른 것이라 말한다.

그런데 여기서 재미있는 것은, 불교에서 등장하는 신들이 속한 세계가 색계나 무색계가 아니라 욕계라는 것이다. 욕계는 지옥, 아귀, 짐승, 인간, 아수라, 천신의 세계로 다시 나뉘는데, 이 중 천신계에 해당하는 이들이 바로 불교 또는 힌두교의 신들이다. 이러한 천신계는 다시 사왕천(四王天), 도리천(忉利天), 야마천(夜摩天), 도솔천(兜率天), 화락천(化樂天), 타화자재천(他化自在天)의 욕계 6천으로 나뉘며, 각 세계에는 사천왕, 제석천 인드라, 염라대왕 등의 신들이 각 지역을 지배하고 있다고 한다. 이러한 신들은 분명 인간과 차별되는 강력한 힘을 가지고 있지만 그와 동시에 이들 또한 불도에 귀의해야만 비로소 세계를 초월한 존재, 욕계를 벗어나 해탈을 맞이할 수 있다는 것이 불교 교리의 큰 특징이다. 즉 신조차도 완성된 존재가 아니며, 세계의 일부에 속하여 고통 받는 이들의 하나일 뿐이라고 생각한다는 것이다.

신화 자체가 워낙 다양한 만큼 신화 속의 공간 또한 무궁무진하다. 흥미로운 것은 고대 신화에서의 공간들은 여전히 우리의 무의식 속에 잔존하고 있다는 것이다. 정신분석학에서 신화를 연구하는 것도 결국 이러한 맥락에서이다. 그렇다면 그러한 신화적 공간을 다시 가지고 오는 것은 어떤가. 우리의 무의식에서 다시금 그 세계를 꺼내는 것은 어떨까. 우리가 꿈꾸는, 우리가 상상하는 수많은 공간의 기억들은 이러한 우리의 무의식 속의 원형들, 신화들에서 그 유래를 찾을 수 있을 것이다. 그리고 신화 속 공간들이 그토록 다양하다는 것은 우리의 공간 상상 또한 무한히 뻗어나갈 수 있다는 것을 말하는 것이 아닐까. 상상하는 인간이 공간을 떠도는 영원한 방랑자인 것은 이러한 이유에서이다.

다른 몸,
환상적인 가상공간

인간은 육체를 가지고 있으므로 공간을 인식한다. "몸은 영혼의 감옥"이라는 서양의 오래된 관념처럼 인간의 의식은 몸이라는 테두리로 둘러싸여 있고, 그 테두리는 3차원의 공간을 점유하고 있다. 그리고 공간의 인식은 공간의 점유에서 출발한다. 사실 이러한 육체의 입체성은 인간의 공간지각에 결정적인 요인이다.

이미 프랑스의 철학자 메를로 퐁티는 인간의 의식을 몸과 외부 사이의 경계에 대한 감각으로 축소시킨 바 있다. 의식은 개인의 육체와 사회가 맺고 있는 관계의 산물일 뿐, 인간에 있어 본질적인 것이 아니라는 게 그의 주장이다. 그리고 그 출발은 결국 몸이니, 그의 주장에서의 의식이란 몸에 속박되어 있을 수밖에 없다.

하지만 인간이 자신의 육체를 떠나서 다른 공간에 현전할 수 있게 해주는 다양한 테크놀로지들이 등장하면서, 과연 의식에 대한 메를로 퐁티의 주장이 타당한 것인지 의문이 들기 시작한다. 이제 인간의 의식은 자신의 몸을 떠나서도 존재할 수 있는 것처럼 보이기 때문이다. 아니 오히려 몸의 감옥을 떠나므로 의식의 가능성은 더욱 풍부해지는 것 같다.

혁신적 의학기술로 주목받고 있는 원격 수술 로봇의 경우를 생각해보자. 이제 의사는 그날의 컨디션에 따라 얼마든지 실수를 범할 수 있는 자신의 손을 대신하여, 한 치의 오차도 없이 프로그래밍된 동작을 수행할 수 있는 로봇의 손에 메스를 쥐어준다. 의사의 의식은 몸의 한계를 떠나 로봇을 조종함으로 더욱 완벽한 수술을 수행할 수 있다.

원격 수술 로봇의 상용화는 의사로 하여금 공간을 초월한 원격현전(tele

presence)을 가능하게 해준다. 의사는 육체라는 굴레를 벗어던지고, 이에 따라 의사의 공간 감각은 더 이상 3차원에 속박되지 않는다. 유클리드 기하학에 근거한 3차원의 공간은 동일한 물체가 동시에 다른 위치에 존재할 수 없음을 가정하며, 이곳에 의사가 있고 저곳에도 의사가 있다면 그 둘은 서로 다른 의사여야 한다. 반면 원격 수술 로봇을 사용하는 의사는 이곳에 있는 동시에 저곳에 있을 수 있다. 따라서 원격현전하는 의사는 새로운 공간개념 속에 존재하게 된다.

그러나 새로운 테크놀로지들이 몸을 완전히 초월하느냐 하면, 꼭 그렇지도 않은 것 같다. 앞의 예만 살펴봐도 그렇다. 여기서 우리가 주목해야 할 것은 새로운 공간이 몸을 버림으로써 가능해진 것이 아니라, 로봇이라는 새로운 몸을 얻으므로 가능해졌다는 사실이다. 이제 수술을 하는 의사에게 몸이란 피와 살로 된 육체인 동시에 금속과 전기신호로 된 몸이기도하다. 몸의 변화는 공간의 변화를 불러왔다. 그러므로 여전히 메를로 퐁티의 가정은 유효하다.

원격현전이란 '비디오 카메라가 장착된 로봇을 원격조종하여 건물 감시와 같이 인간 사용자의 현전이 요구되는 과제를 수행'하는 기술을 말한다. 기술의 범위를 조금 확장하고 일반화한다면, 우리는 원격현전을 대리 몸을 이용하여 지금, 여기가 아닌 다른 곳에 존재하는 것을 가능하게 하는 기술로 이해할 수 있다. 확장된 원격현전의 개념은 새로운 테크놀로지들이 만들어내는 수많은 가상공간들의 토대를 설명하고 있다.

앞에서 얘기했던 온라인 게임 속의 판타지 공간을 생각해보자. 유저는

몸으로 공간을 상상한다는 것은 무엇을 의미하는 것일까?

게임 속 가상 캐릭터인 아바타를 원격조종함으로써 가상공간을 경험한다. 온라인 게임의 가상공간은 아바타가 우리의 육체를 대체하고 의식의 경계가 3차원이 아닌 디지털 코드들의 연쇄들과의 접점들로 옮겨갈 때 나타난다. 메를로 퐁티처럼 말해보자면, 게임 속 가상공간은 우리의 또 다른 육체, 아바타가 디지털 네트워크라는 새로운 사회와 관계하는 방식인 것이다. 온라인 게임은 공간이 몸과 세계를 매개하는 일종의 인터페이스(interface)로서 등장하게 됨을 보여주는 사례일 것이다.

따라서 다음과 같이 말할 수 있으리라. 원격현전은 또 다른 몸에 대한 상상이다. 다른 몸은 다른 공간을 수반한다.

스파이크 존스 감독의 영화 〈존 말코비치 되기〉는 몸과 공간의 관계를 성찰하게 해준다. 이 영화의 이야기는 비루한 인형극 예술가 크레이그 슈바르츠가 생계를 위해 취직한 직장에서 영화배우 '존 말코비치'의 의식 속으로 들어가는 신비한 통로를 발견하면서 시작된다. 슈바르츠는 자신의 몸이 속한 황폐한 뒷골목의 세계를 떠나 인형들이 속한 예술의 세계로 침잠하기를 즐기는 인물로 등장하는데, 이러한 슈바르츠에게 존 말코비치로 통하는 통로는 비참한 자신의 육체로부터 벗어나 완전한 몸을 경험하는 기회를 제공한다. 존 말코비치라는 새로운 몸을 통해 슈바르츠는 거리가 아닌 무대라는 공간과 관계를 맺게 된다. 그는 일시적으로 '존 말코비치가 됨'으로써 욕망을 대리충족하는 것이다.

사실 그러한 삶을 즐기고자 하는 것은 슈바르츠만이 아니다. 슈바르츠는 이 사실을 부인과 회사 동료인 맥신에게 알리고 상업적 수완이 좋은 맥신은 이를 이용해 사업을 하자고 제안한다. 그리고 이 사업은 나날이 번창해간다. 사업의 번창이란 수요가 있을 때 가능한 것이며, 이것이 그만큼의 수요를 가지고 있다는 것은 그 자체로 의미심장하다.

영화배우로서의 존 말코비치는 '육체의 아이콘'으로서 '스타'를 상징하며, 슈바르츠의 경험은 스타의 완전한 육체를 탐닉하는 관객의 '영화 보기' 경험에 대한 은유이다. 슈바르츠와 맥신이 존 말코비치로 통하는 통로를 이용하여 장사를 하는 장면에서 이 영화는 영화 보기의 경험과 대리 몸의 경험을 관련시킨다.

〈존 말코비치 되기〉는 다음과 같은 질문들을 던지고 있다. 영화에 몰입되는 경험, 주인공에 동일화하는 관객의 경험 역시 일종의 원격현전이라고 볼 수 있지 않은가? 주인공의 몸을 중심으로 펼쳐지는 영화의 공간 역시 일종의 가상공간이 아닌가? 영화 속의 공간은 별 볼일 없는 육체로 지루한 공간을 살아가는 대중들에게 스타라는 완전한 몸이 약속하는 환상적인 가상공간인 것이다.

08 상상 그 이상의 무엇

우주의 공간은 상상을 초월할 정도로 넓고도 넓다. SF소설에 자주 언급되는 광년이라는 단위가 너무 헤프게 사용되어 간과할지도 모르지만, 광년의 단위는 실로 엄청난 것이다. 빛의 속도가 초속 30만 킬로미터라고 하니, 1광년은 30만×60(초)×60(분)×24(시)×365(일)=94,608,000만 킬로미터, 그러니까 뒷자리 잘라내도 약 9조 킬로미터라는 엄청난 거리다. 그런데 은하계의 한쪽 끝에서 한쪽 끝까지 가는 게 10만 광년이라고 하니, 여기에서 다시 10만을 곱해야 하는 상상을 초월하는 수가 나온다. 게다가 가장 가깝다는 안드로메다은하도 은하계와 수백만 광년이나 떨어져 있으니……. 그냥 말을 하는 않는 게 낫겠다.

우주의 단위라는 것은 정말 '천문학적인' 단위들이 쏟아져 나오는 곳이고, 이런 것에 비하면 우리의 태양계는 정말 티끌보다도 작은 셈이다. 그런데 1977년에 출발한 보이저 2호는 20년이 넘는 세월을 지나 1998년도에야 겨우 명왕성을 지나갔다고 한다. 인간은 아직 그 우주의 티끌조차 보지 못한 셈이다. 하지만 그럼에도 우린 여전히 우주를 바라보고, 그 드넓은 세계를 계속해서 상상하고 있다. 그것이 바로 SF라는 장르다. 이 장르는 정말 상상 그 자체일 수밖에 없다. 그러나 동시에 그 대상이 우주라는 현실 세계와 통하고 있기 때문에, SF에서의 세계는 단순한 공상을 넘어서 현실과 소통하는 상상력으로 이루어진 세계이기도 하다. 최대한 상상을 발휘하면서도 기존의 세계 자체를 벗어나서는 안 되는, 마치 외줄타기를 하는 듯한 장르가 바로 SF인 것이다.

이러한 SF장르에서 가장 걸림돌이 되는 것은 사실 공간이다. 앞에서 말했듯이, 우주의 공간은 거의 무한에 가까울 정도로 넓다. 그러나 이 공간을 현실적인 차원에서 다루게 된다면, SF는 더 이상 SF가 아니게 된다. 애초에 이동할 수 없으면 이야기를 전개할 수 없기 때문이다. 그러나 현실의 문제를 완전히 무시해버리면 SF가 가진 특성, 즉 상상과 현실의 외줄타기라는 그 미묘한 성격이 훼손될 수 있다.

물론 '스타워즈' 시리즈와 같은 스페이스 오페라물 같은 경우에는 굳이 과학적인 부분을 따지지 않기도 하지만, 소위 주류를 이루는 하드 SF장르의 경우에는 이러한 전문적인 부분을 어떻게든 취합하고자 하는 경향이 있다. 그렇기에 하드 SF장르에 등장하는 우주여행의 방식들은, 적어도 그 시대의 현대물리학 이론에 기반을 두고 그 위에 상상력을 더하는 방식으로 전개되는 경우가 많다.

워 프 항 법

워프(warp)란 그 단어 원래의 뜻과 같이 공간을 왜곡시키고 구부림으로써 공간을 연결, 이동하는 방식이다. 요즘은 워프라는 단어가 난무해서 그저 공간이동이라고만 생각되기 쉽지만, 원래 워프 개념을 도입했을 때는 공간 왜곡에 의한 이동방법을 말했다. 워프를 간단히 설명하는 방법으로 종이 접기를 들 수 있다. 한 장의 종이를 반으로 접고, 송곳으로 두 장의 종이를 뗀다. 그 구멍을 통해 지나가면 종이를 돌아서 갈 필요가 없이 종이의 한쪽 끝에서 다른 쪽 끝까지 이동할 수 있다. 이처럼 공간을 일그러뜨려 거리를 축소하고, 그를 통해 이동하는 방식을 워프라고 할 수 있다. 실제로 이러한 생각은 우주공간을 굽어진 공간일 거라고 파악하는 아인슈타인의 생각과 일맥상통하는 것이라고 할 수 있다.

물론 아인슈타인은 광속 우주여행이라는 개념을 상대성 이론을 통해 불가능하다고 규정했다. 적어도 '현재의 물리 세계'에서는 절대로 불가능하다. 여기서의 문제는, 속도의 증가는 동시에 질량의 증가를 야기한다는 것이다. 이에 대한 자세한 설명을 하면 너무 복잡해질 테니 생략하겠지만, 질량의 증가는 결국 에너지의 증가를 야기하며 이것이 광속에 가까워질수록 질량의 증가도 무한대에 가까워진다.

그러나 이러한 에너지의 구현 자체는 불가능하다. 무한의 에너지를 만들어야 하기 때문이다. 결국 질량이 있는 물체의 경우 광속을 낸다는 것 자체가 불가능해지며, 빛이 광속인 것은 그 질량값이 0이기 때문이다. 물론 이를 위해 질량이 마이너스(-)인 타키온이라는 입자가 등장하기도 했다. 이 입자는 질량이 마이너스이므로 항상 빛보다 빠른 속도로 날아다닌다는 설정이 되어 있는데, 이를 사용해서 초광속 비행을 하는 설정들이 등장하곤 했다. 그러나 이러한 입자가 설사 존재한다고 해도 절대로 포착할 수 없고 또한 우주선 자체를 타키온화한다는 것은 불가능하므로 의미를 상실했다.

그러나 공간이 구부러지는 것, 즉 중력에 의한 공간 왜곡을 이용한다면 광속을 넘을 수 있다. 아니, 정확히 말하면 광속을 넘는 것은 아니지만, 광속보다 빠른 속도로 이동은 가능하다. 다시 한 번 종이에 비유하자면 종이 위에 물체를 올려놓고 그 종이를 움직이면 물체도 따라서 움직인다. 그렇게 우주선이 있는 공간을 목적지까지 잡아 늘렸다가 우주선은 목적지에 내려놓고 공간을 원상 복구하면 빛보다 빨리 목적지에 도착할 수 있다. 동시에 상대성 이론에서 제기되었던 물리적 법칙을 벗어나지도 않는다.

물론 이것은 이론적으로 가능한지를 알아내는 것일 뿐, 그것의 구현이 멀고 먼 미래에 가능할지 알 수 없는 일이다. 여기서 문제는 두 가지인데, 첫째로 어떻게 구부리느냐이다. 인위적으로 공간의 굴곡을 제어하는 방법이 현재로서는 없기 때문이다. 또한 그 정도의 굴곡을 만들려면 블랙홀 수준의 중력장이 필요할 테고, 그를 위한 대용량의 워프 엔진은 순간적으로 초신성 폭발 규모에 달하는 에너지를 방출해야 한다. 즉 적어도 현실의 시점에서는 이것이 이뤄질 수 있느냐에 대해 한없는 물음표를 찍어야 하는 것이 사실이다. SF는 현실성을 강조하지만 어찌 됐건 상상의 세계를 펼치는 공간이다. 영화 '스타트랙' 시리즈는 워프의 개념을 본격적으로 도입하고 있다.

SF에서의 상상력은 그것이 단순히 상상에 그치지 않는다는 것에 그 매력이 있다. 실제로 나사(NASA)에서는 항성 간 우주를 초광속으로 여행하는 방법을 연구 중에 있다. 이는 중력 조작, 관성 제어, 이론적으로 진공 속에 존재하는 거대한 에너지의 제어, 워프 스페이스에 대한 연구로 구성되고 있는데, 이를 통해 워프를 실제화하려는 시도를 하고 있다고 한다. 시작은 상상이었을지도 모르지만, 그 끝은 현실의 새로운 역사를 만들어갈지도 모른다.

하 이 퍼 스 페 이 스

앞에서 말했듯이, 현실 세계에서 빛보다 빠르게 이동한다는 것은 불가능하다. 적어도 '현재의 물리법칙이 적용되는 세계'에서는 그러하다. 하지만 다른 물리법칙을 가지고 있는 세계라면 어떨까? 모든 세계에서 이와 같은 조건이 동일하게 적용되는 걸까? 이러한 상상의 과정에서 다차원 공간에 대한 이론적인 연구가 진행되었고, 이는 또 다른 SF적 상상력을 불러 일으켰다. 그리고 이 과정에서, 만약 공간이 우리가 느끼는 것 위의 차원을 가진다면 어떨까라는 놀라운 형태의 상상이 시작되었다. 이것이 바로 초공간, 하이퍼스페이스(hyperspace)이다.

그 내용은 다음과 같다. 우리가 2차원 인간이고 한 장의 뫼비우스의 띠 위에 산다고 가정해보자. 우리가 2차원 인간인 이상 인식할 수 있는 것은 한정되어 있다. 또한 띠의 길이가 꽤 길어서 두 바퀴 돌아서 제자리에 오려면 꽤 긴 시간이 걸릴 것이고, 우리에게 그것은 갈 수 없는 거리로 인식될 것이다. 그런데 밖에서 보면, 이 뫼비우스의 띠는 납작하게 눌려 있어서 띠의 서로 반대편에 있는 종이가 거의 맞붙어 있다. 어느 날 2차원 인간인 우리가 띠 위에 서 있는데, 하늘이 어두워지면서 거대한 충격파가 띠를 휩쓸고 지나갔다. 그 충격으로 우리는 띠 위의 2차원 공간에서 내던져졌는데, 공교롭게도 바로 옆에 납작하게 붙어 있던 띠의 반대쪽 부분으로 날아갔다. 그런데 띠의 양쪽 면이 거의 붙어 있었기 때문에, 3차원 공간의 비행은 거의 느끼지 못할 만큼 짧은 시간이었다. 사실 눈 깜짝할 새라고 해도 좋을 정도였다. 눈을 다시 떠보니 띠의 반대편까지 와 있다. 세상의 정반대편까지 눈 깜짝할 새에 와버린 것이다.

위의 이야기를 3차원으로 확장시키면 바로 초공간 도약에 대한 설명이 된다. 우리는 3차원 공간에 시야가 제한되어 있다. 그래서 4차원 이상의 다차원으로 공간이 구성되어 있을지라도 우리가 지각할 수 있는 공간은 3차원뿐이다. 하지만 공간은 4차원 이상일 가능성이 굉장히 높다. 만약 정말 그렇다면 우리가 곧게 뻗어 있다고 생각하는 이 우주는, 위에서 본 뫼비우스의 띠처럼 사실은 휘어 있고, 정반대 쪽이 바로 옆에 붙어 있을지도 모른다. 우리가 차원의 벽을 넘어서 반대쪽으로 갈 수 있다면 이것이 바로 초공간 도약이 되는 것이다.

영화 〈스타워즈〉에서는 하이퍼스페이스 엔진을 켜면 갑작스럽게 가속이 시작되고, 어느 시점에서 공간의 왜곡을 통해서 초공간에 돌입하게 된다. 그리고 초공간에서는 광속을 넘어서는 속도로 비행하여 원하는 곳으로 향하게 된다. 즉 스타워즈의 세계 속에서는 아인슈타인의 물리법칙이 통용되지 않는 초공간을 통해서 광속 이상의 속도로 비행하는 것이다. 하이퍼스페이스라고 불리는 다른 차원의 공간을 상상하고 현실과는 다른 물리법칙을 가정하여 이를 경유함으로써, 시공간을 넘나드는 원거리 항해를 가능하게 하는 것이다.

하이퍼스페이스란 개념은 사실 단순히 SF의 문제가 아니라, 차원이라는 개념에 대해 우리가 생각해볼 수 있는 기회를 제공한다. 우리가 속해 있는 3차원의 세계를 넘어서 있는 초공간이라는 개념을 사용한다는 것 자체가 특이한 것이다. 그리고 이 하이퍼스페이스라는 개념은, 최근 자주 이

우리는 어떻게 우주공간에서
광속보다 빠르게 이동할 수 있을까?

야기되고 있는 다차원이론, 평행우주론 등과도 연결성을 지니고 있다. 지금 우리가 살고 있는 세계와 다른 세계, 그것이 단순히 외계 세계로 우리와 동일한 선에서 살고 있는 것이 아니라 아예 세계의 법칙조차도 다른 세계가 있을 수 있다는 것, 이것이 차원의 상상이다.

이처럼 SF에서의 상상력은 그 시작은 과학을 기반으로 하고 있지만, 그 속에서 나오는 결론들은 우리의 상상 그 이상의 무엇을 보여주는 것이기도 하다. 인간의 상상력은 가히 무한대의 우주공간에 버금가는, 보이지 않는 또 하나의 우주가 아닐까? 그래서 호모이마기난스의 상상력은 영원한 것이리라.

주

1 Aristoteles, Poetik, übersetzt und hrsg. von M. Fuhrmann, Stuttgart, 1982, p. 29.

2 먼로 C. 비어슬린, 《미학사》, 이성훈·안원현 옮김, 이론과 실천, 1999, p. 96.

3 임정택, 〈초기계몽주의 시학 : 자연모방론과 기지의 원칙〉, 《독일문학》, 47집, p. 160. 시적 상상력에 관한 고트셰트와 보드머/브라이팅어 간의 논쟁에 대해서는 필자의 본 논문의 일부 내용을 이 책의 콘셉트에 맞게 변형하여 작성한 것임.

4 J. C. Gottsched, Versuch einer Critischen Dichtkunst, hrsg. von Joachim Birke und Brigitte Birke, Berlin/New York, 1973, p. 206.

5 임정택, 〈초기 계몽주의 시학〉, p. 165.

6 J. J. Breitinger, Critische Dichtkunst(1740), Neudruck, Stuttgart, 1966, Bd. I, p. 71.

7 빌란트의 소설 《돈 실비오》에 나타난 상상력에 대해서는 필자의 논문 〈C. M. Wieland의 「Don Sylvio」에 있어서의 환상의 유희와 문학적 소통〉, 《인문과학》, 62집, 1989의 일부 내용을 이 책의 콘셉트에 맞게 변형하여 작성한 것임.

8 C. M. Wieland, Werke, hrsg. von F. Martini und Hans Werner Seiffert, Bd. I, p. 87.

9 Wieland, p. 102.

10 Wieland, p. 55.

11 Wieland, p. 9.

12 Wieland, p. 338.

13 Novalis, Schriften. Die Werke Friedrich von Hardenbergs, hrsg. v. Paul Kluckhohn und Richard Samuel, Stuttgart, 1965ff, Bd. II, p. 545.

14 Jacob Grimm, Deutsche Mythology, Darmstadt, 1965, Bd. 2, p. 812.

15 Jeong-Taeg Lim, Don Sylvio und Aselmus. Untersuchung zur Gestaltung des Wunderbaren bei C.M. Wieland und E. T. A. Hoffmann, Frankfurt am Main, 1988, p.14.

16 노발리스, 《푸른 꽃》, 김재혁 옮김, 18쪽.

17 Novalis, Schriften Bd. III, p. 454.

18 노발리스 작품의 내용에 관해서는 주로 김재혁이 번역한 것을 참조하였음.

19 Hoffmann, Der Sandmann, p. 352.

20 Norbert Hinske, Was ist Aufklärung? Beiträge aus der Berlinischen Monatsschrift, Darmstadt, 1981, p. 370.

21 케빈 워릭, 《나는 왜 사이보그가 되었는가?》 장은영 옮김, 서울 : 김영사, 2004.

22 프로이트에게 꿈 작업 역시 흄이 말한 상상력의 유희와 같이 일상 속의 관념들을 자유롭게 결합시키는 활동이기도 하다는 점에서 꿈과 상상력은 때어놓을 수 없는 관계에 있다.

23 André Jolles, Einfache Formen, Tübingen, 1974. p. 21.

24 Hiltrud Gnüg, Der utopische Roman, München/Zürich, p.8.

25 Dungeon. 과거, 특히 성 안에 있던 지하 감옥. 판타지를 기반으로 하는 게임들에서 자주 등장하는 개념으로, 고도의 생물이 구축해놓은 일종의 동굴이나 그런 류의 미로를 가리킨다. 대개 위험한 것들이 많이 서식하며 그 내부에는 강력한 마법 또는 엄청난 재화가 있다고 알려져 있다.

26 Non Player Character의 약자. 롤플레잉을 기반으로 한 게임에 등장하는 '플레이어 이외의 캐릭터(Non Player Character)'를 말한다. 온라인 게임 속에서 서비스 공급업체가 직접 조종하는 캐릭터를 뜻하며, PC 게임에서는 보통 점수를 얻기 위한 괴물들, 물건을 판매하는 상인 캐릭터, 스토리 진행을 위해 미션을 제공하는 진행 캐릭터 등이 NPC로 등장한다.

참고문헌

게리 제닝스, 《엉뚱한 과학사 : 마법, 점성술, 연금술, 요정, 괴물의 역사》, 외문기획 옮
　　김, 서울 : 한울림, 1991.

노발리스, 《푸른 꽃》, 김재혁 옮김, 서울 : 민음사, 2003.

레메디오스 바로, 《연금술의 미학 : 환상을 퍼 올리는 여성 미술가》, 탁인숙·함은주 옮
　　김, 서울 : 다빈치, 2005.

로타 엘라이, 《피히테, 쉘링, 헤겔 : 독일 관념론의 수행적 사유방식들》, 백훈승 옮김,
　　고양 : 인간사랑, 2008.

마르셀 프루스트, 《잃어버린 시간을 찾아서 : 스완네 집 쪽으로—스완의 사랑 I》, 정재
　　곤 번역, 파주 : 열화당, 2007.

먼로 C. 비어슬린, 《미학사》, 이성훈·안원현 옮김, 서울 : 이론과 실천, 1999.

미셸 세르, 《헤르메스》, 이규현 옮김, 서울 : 민음사, 2009.

박은진, 《칼 포퍼 과학철학의 이해》, 서울 : 철학과 현실사, 2001.

백훈승, 《피히테의 자아론 : 피히테 철학입문》, 서울 : 문예연구사, 2004.

브루스 T. 모런, 《지식의 증류 : 연금술, 화학, 그리고 과학혁명》, 최애리 옮김, 서울 :
　　지호, 2006.

세르반테스, 《동키호테》, 金翰庸 譯, 再版, 서울 : 三省堂, 1984.

안드레아 아로마티코, 《연금술 : 현자의 돌》, 성기완 옮김, 서울 : 시공사, 1998.

앙투안 갈랑, 《천일야화》, 임호경 옮김, 파주 : 열린책들, 2010.

앨리슨 쿠더트, 《연금술 이야기》, 박진희 옮김, 서울 : 민음사, 1995.

예브게니 이바노비치 자먀찐, 《우리들》, 석영중 옮김, 파주 : 열린책들, 2009.

오비디우스, 《오비드 신화집 : 변신이야기》, 김명복 옮김, 서울 : 솔, 1993.

올더스 헉슬리, 《멋진 신세계》, 정승섭 옮김, 파주 : 혜원출판사, 2008.

요한 호이징가, 《중세의 가을》, 최홍숙 역, 서울 : 문학과지성사, 1997.

임정택, 〈C. M. Wieland의 「Don Sylvio」에 있어서의 환상의 유희와 문학적 소통〉,

《인문과학》, 62집, 서울 : 연세대학교인문과학연구소, 1989.

임정택, 〈초기계몽주의 시학 : 자연모방론과 기지의 원칙〉, 《독일문학》, 47집, 1991.

조셉 캠벨, 《천의 얼굴을 가진 영웅》, 이윤기 옮김, 서울 : 민음사, 2004.

조지 오웰, 《1984년》, 박경서 옮김, 파주 : 열린책들, 2007.

쥘 베른, 《80일간의 세계일주》, 김석희 옮김, 서울 : 열림원, 2003.

지그문트 프로이트, 《정신분석 입문 : 꿈의 해석》, 김양순 옮김, 서울 : 동서문화사, 2007.

지그문트 프로이트, 《프로이트 전집. 14, 예술, 문학, 정신분석》, 정장진 옮김, 서울 : 열린책들, 2003.

칼 포퍼, 《추측과 논박 : 과학적 지식의 성장 2》, 이한구 옮김, 서울 : 민음사, 2001.

케빈 워릭, 《나는 왜 사이보그가 되었는가?》, 정은영 옮김, 서울 : 김영사, 2004.

토머스 모어, 《유토피아》, 류경희 옮김, 서울 : 팽귄클래식코리아, 2008.

토머스 벌핀치, 《벌핀치의 그리스 로마 신화》, 이윤기 편역, 서울 : 창해, 2009.

폴 에크먼, 《얼굴의 심리학 : 우리는 어떻게 감정을 드러내는가?》, 이민아 옮김, 서울 : 바다출판사, 2006.

프랜시스 베이컨, 《신기관 : 자연의 해석과 인간의 자연 지배에 관한 잠언》, 진석용 옮김, 서울 : 한길사, 2001.

프랜시스 베이컨, 《학문의 진보》, 이종구 옮김, 서울 : 신원문화사, 2007.

프레데릭 다스사, 《바로크의 꿈 : 1600~1750년 사이의 건축》, 변지현 옮김, 서울 : 시공사 2000.

플라톤, 《국가/소크라테스》, 조우현 옮김, 서울 : 삼성출판사 1994.

허버트 조지 웰스, 《타임머신》, 임종기 옮김, 서울 : 문예출판사, 2007.

헤겔, 《피히테와 셸링 철학체계의 차이》, 임석진 옮김, 서울 : 지식산업사 1989.

호메로스, 《일리아스/오디세이아》, 이상훈 옮김, 서울 : 동서문화사 2007.

André Jolles, Einfache Formen, Tübingen, 1974.

Aristoteles, Poetik, übersetzt und hrsg. von M. Fuhrmann, Stuttgart, 1982.

C. M. Wieland, Werke, hrsg. von F. Martini und Hans Werner Seiffert, Bd. 1.

Charles Perrault, The Complete Fairy Tales, Oxford University Press, 2009.

E. T. A. Hoffmann, Sämtliche Werke in sechs Bänden, hrsg. von Hartmut Steinecke und Wulf Segebrecht, Frankfurt am Main, 1993.

F. W. J. Schelling, System des transzendentalen Idealismus, mit einer Einleitung von Walter Schulz, Hamburg : Felix Meiner, c1957.

Georg Wilhelm Friedrich Hegel, Vorlesungen über die Ästhetik, 1, 2, 3 [auf der Grundlage der Werke von 1832–1845 neu edierte Ausg. Red. : Eva Moldenhauer und Karl Markus Michel, Frankfurt am Main : Suhrkamp, 1970.

Gerhard Schulz, Novalis mit Selbstzeugnissen und Bilddokumenten, Hamburg, 1979.

Hiltrud Gnüg, Der utopische Roman, München/Zürich, 1983.

Horaz, Ars Poetica, übersetzt und mit einem Nachwort, hrsg. von Eckart Schäffer, Stuttgart, 1972.

Immanuel Kant, Anthropologie in pragmatischer Hinsicht, herausgegeben, eingeleitet und mit Personen–und Sachregister versehen von Karl Vorander, 5. Aufl. Leipzig : Felix Meiner, c1912.

Immanuel Kant, Kritik der reinen Vernunft, Berlin: Verlegt bei Bruno Cassierer, c1912.

Irmela Brender, Christoph Martin Wieland mit Selbstzeugnissen und Bilddokumenten, Hamburg, 2003.

J. C. Gottsched, Versuch einer Critischen Dichtkunst, hrsg. von Joachim Birke und Brigitte Birke, Berlin/New York, 1973.

J. J. Breitinger, Critische Dichtkunst(1740), Neudruck, Stutgart, 1966.

Jacob Grimm, Deutsche Mythology, Darmstadt, 1965.

Jeong–Taeg Lim, Don Syovio und Anselmus. Untersuchung zur Gestaltung des Wunderbaren bei C. M. Wieland und E. T. A. Hoffmann, Frankfurt am Main, 1988.

Jonathan Swift, Gullivers Reisen, Frankfurt am Main, 1974.

Kinder–und Hausmärchen, Gesammelt durch die Brüder Grimm : München, 1966.

Klaus Günzel, E. T. A. Hoffmann. Leben und Werk in Briefen, Selbstzeugnissen und Zeitdokumenten, Düsseldorf, 1979.

Lewis Carroll, Alice's adventures in Wonderland, Oxford, New York : Oxford
University Press, 2008.

Louis-Sebastien Mercier, L'An 2440, reve s'il en fut jamais

Martin Heidegger, Sein und Zeit, Tübingen, 1972.

Norbert Hinske, Was ist Aufklärung? Beiträge aus der Berlinischen Monatsschrift,
Darmstadt, 1981.

Raoul Richter(Hrsg.), Eine Untersuchung über den menschlichen Verstand,
Hamburg : Verlag von Felix Meiner, 1973.

Rüdiger Safranski, E. T. A. Hoffmann, Das Leben eines skeptischem Phantasten,
München, 1984.

Samuel Taylor Coleridge, Collected Works 7, Biographia Literaria or Biographical
Sketches of My Literary Life and Opinions1, ed., by James Engell and W. Jackson
Bate, Princeton, 1983.

Sigmund Freud, Vorlesungen zur Einführung in die Psychoanalyse und Neue
Folge, 4, korrigierte Aufl. Frankfurt am Main : S. Fischer Verlag, 1969.

The Tales of Hoffmann, Norwalk : The Easton Press, 1992.

Tommaso Campanella, La citta del sole:dialogo poetico=The city of the Sun : a
poetical dialogue, Berkeley : University of California Press, 1981.

Walter Hinck(Hrsg.), Europäische Aufklärung, Frankfurt am Main, 1974.

KI신서 3266

상상, 한계를 거부하는 발칙한 도전

1판 1쇄 인쇄 2011년 03월 31일
1판 1쇄 발행 2011년 04월 8일

지은이 임정택 **펴낸이** 김영곤 **펴낸곳** (주)북이십일 21세기북스
출판컨텐츠사업부문장 정성진 **출판개발본부장** 김성수 **인문실용팀장** 심지혜
기획·편집 최혜령 **해외기획** 김준수 조민정 **디자인** 씨디자인
영업마케팅본부장 최창규 **마케팅** 김보미 김현유 강서영 **영업** 이경희 우세웅 박민형
출판등록 2000년 5월 6일 제10-1965호
주소 (우413-756) 경기도 파주시 교하읍 문발리 파주출판단지 518-3
대표전화 031-955-2100 **팩스** 031-955-2151 **이메일** book21@book21.co.kr
홈페이지 www.book21.com **트위터** @21cbook **블로그** b.book21.com

ⓒ 임정택, 2011

ISBN 978-89-509-3022-6 03300
ISBN 978-89-509-3024-0 (세트)
책 값은 뒤표지에 있습니다.